D1221614

ADOLESCIENCIA

BÁRBARA TOVAR

ADOLESCIENCIA
CÓMO ENTENDER A MI HIJO ADOLESCENTE

,

El papel utilizado para la impresión de este libro
es cien por cien libre de cloro
y está calificado como **papel ecológico.**

No se permite la reproducción total o parcial de este libro, ni su incorporación a un sistema informático, ni su transmisión en cualquier forma o por cualquier medio, sea este electrónico, mecánico, por fotocopia, por grabación u otros métodos, sin el permiso previo y por escrito del editor. La infracción de los derechos mencionados puede ser constitutiva de delito contra la propiedad intelectual (art. 270 y siguientes del Código Penal).
Diríjase a Cedro (Centro Español de Derechos Reprográficos) si necesita fotocopiar o escanear algún fragmento de esta obra. Puede contactar con Cedro a través de la web www.conlicencia.com o por teléfono en el 91 702 19 70 / 93 272 04 47.

© Bárbara Tovar, 2016
© Editorial Planeta, S. A., 2016
Temas de Hoy es un sello editorial de Editorial Planeta, S. A.
Avda. Diagonal, 662-664, 08034 Barcelona
www.temasdehoy.es
www.planetadelibros.com

ISBN: 978-84-9998-543-5
Depósito legal: B. 10.934-2016
Preimpresión: Safekat, S. L.
Impresión: Black Print

Printed in Spain - Impreso en España

A mis padres, mi Yin y mi Yang,
seguís siendo mis grandes maestros de vida.
A mis hijos, Óscar y Carlota, mis pequeños gigantes,
sois mi alma.
A mis hermanas Carlota y María, qué haría yo sin vosotras.
Y muy especialmente a mi compañero de vida y batallas,
a Roberto.
Os quiero.

ÍNDICE

Introducción

Las emociones pueden ser nuestras aliadas o nuestras enemigas, unen pero también pueden separar. Las necesitamos, sin lugar a dudas, porque nos protegen, nos impulsan, nos ayudan a disfrutar, nos permiten darnos a conocer a los demás y conectar con el resto de personas y cosas. Sin embargo, esto solo sucede cuando soplan a nuestro favor, cuando sentimos que las controlamos, que las conducimos. Cuando las emociones se tornan disfuncionales en su estructura, en su modo de expresarse, en su intensidad o, incluso, en su manera de ocultarlas o ignorarlas, pueden dañarnos, perjudicarnos, lastimarnos.

Las emociones cobran especial relevancia en la vida de nuestros hijos cuando comienza la adolescencia. Se transforman en vendaval. Y saber gestionarlas se convierte en toda una ciencia para los padres.

Nuestros hijos adolescentes poseen una gran capacidad para sentir un enorme abanico de emociones. Son como una fuerza desmedida, invisible a sus ojos, un motor muy poderoso que en ocasiones no saben conducir, y su potencia les arrasa, les pasa por encima, se les va de las manos, generando confusión, conflicto y desorden en su interior y en su exterior. Nosotros, como padres, nos contagiamos muchas veces de esa intensidad emocional, nos preocupa ver cómo ese drama adolescente a veces domina a nuestros hijos e incluso les perjudica.

Soy psicóloga, experta en emociones, especialista en adolescentes, aunque, ironías de la vida, mi adolescencia podríamos decir que fue difícil. La describiría como intensa, llena de contrastes, maravillosa y odiosa, bella y terrible, divertida y pesadísima. Quizás toda esta riqueza experiencial, todos esos registros conocidos me llevaron a adentrarme en el mundo de la psicología y ¡ay!... Allí me encontré. Sin darme cuenta, poco a poco, me empecé a entender. Y ¡qué importante fue para mí comprenderme! Y ¡qué importante es para tu hijo comprenderse! Cuando me comprendí, me abrí: me abrí a mis padres, me abrí al mundo, me abrí a mí misma. Hasta entonces, me había encontrado con una puerta cerrada de la que ni yo ni nadie tenía la llave. Esa llave la encontré en mi amada carrera: la psicología. Descubrí que se me daba bien, que tenía sensibilidad y habilidad para ello, y ocurrió lo que ocurre siempre que un adolescente encuentra su pasión, se desbloqueó mi puerta. Se abrió mi corazón. Recuerdo ahora una pequeña historia que una vez me contaron:

Un maestro le decía a su pupilo tras cada lección:

—Y estas palabras ponlas sobre tu corazón.

Día tras día, semana tras semana, el maestro repetía esta frase. Un día, el pupilo se acercó y le dijo a su maestro:

—Maestro, ¿por qué poner las palabras sobre mi corazón y no en mi corazón?

El maestro respondió:

—Tu corazón está cerrado, pero el día que se rompa, cuando más lo necesites, todas estas palabras caerán dentro de él.

Todos los padres tenemos miedo a que esas palabras que les decimos a nuestros hijos, y que parecen no escuchar, se pierdan en el viento; confía, están sobre su corazón; y el día menos pensado, cuando se le rompa, cuando más lo necesite, todos esos mensajes calarán bien hondo y le serán de gran ayuda, tal y como me ocurrió a mí, y tal y como he visto a lo largo de mi carrera profesional en muchos otros.

Tras este encuentro con la psicología y concluidos mis estudios universitarios, siguieron estudios de postgrado especializados en el mundo de las emociones. Comenzó un vasto recorrido experiencial a través de numerosas sesiones en mi despacho, junto a padres angustiados, algunos perdidos, otros enfadados, otros preocupados y, los más, un poco de todo. Padres que me hablaban de sus hijos preadolescentes, adolescentes o jóvenes, que se resistían a madurar, que estaban atascados en su crecimiento personal o que habían comenzado una trayectoria desafiante e inestable que les impedía asumir, en un gran número de circunstancias, sus propias responsabilidades, que rompían sistemáticamente la armonía familiar y lesionaban su autoestima en lugar de ayudarles a crecer. A través de dilatadas conversaciones, inolvidables sesiones de trabajo con estos adolescentes y sus familias, observé que a todos ellos les unía algo común: la dificultad para la gestión de las emociones y una nula habilidad para empatizar con el otro, sobre todo, ante el conflicto.

A día de hoy, participo en el programa «Hermano mayor» de Cuatro donde se abordan casos muy serios relacionados con los problemas de conducta más representativos de la adolescencia. Gracias al programa, he podido aplicar mis conocimientos en familias de toda España, que estaban viviendo situaciones realmente difíciles con respecto a sus hijos. Mi labor con todas ellas ha sido ayudar a los padres a reflexionar sobre pautas educativas eficaces; asistirles para encontrar la llave que abre el camino de vuelta hacia sus hijos, permitiéndoles convertirse en jóvenes seguros, felices y completos; tender la mano a los adolescentes y hacerles comprender la encrucijada en la que se encuentran y los peligros que entraña su toma de decisiones; enseñarles a afrontar sus

miedos, explicarles cómo asimilar y digerir sus emociones, sin indigestiones; permitirles explorar caminos alter-
nativos para sentirse mejor en casa y para congraciarse
consigo mismos. Ha sido muy gratificante observar cómo
esos niños, depositarios de una enorme agresividad, con
los que he podido trabajar en «Hermano mayor», esos
jóvenes que aparentan ausencia total de sentimientos, en
la mayor parte de los casos, lo que de verdad están recla-
mando es recuperar a sus padres y su anterior relación
con ellos.

Es cierto que en la adolescencia el grupo de referencia son los amigos. Pero no olvidéis, padres y madres,
que las personas más importantes para vuestro hijo
seguís siendo vosotros; da igual lo lejos o cerca que
estéis física o emocionalmente de él, eso no lo cambia
ninguna otra circunstancia, y es fundamental darnos
cuenta de ello porque, de algún modo y siempre, sere-
mos su espejo.

Por todo ello he escrito este libro para padres: para
profundizar en las emociones de sus hijos; entender las
razones por las que a veces se comportan como lo hacen;
por qué sistemáticamente parecen no escuchar nada de
lo que se les dice; averiguar el motivo por el que su
carácter parece jugarles una mala pasada impidiéndoles
ser plenamente felices, o enfrentarse con éxito a retos y
desafíos de la vida. Este libro está dirigido a esos padres
que sienten que una maraña de confusas emociones tienen «tapado» a su hijo, de manera que el que ven día a

día, nada tiene que ver con el niño que fue. A los progenitores preocupados por no explotar ante la frustración, a gestionar su preocupación y a acertar con las respuestas que demanda la relación con su hijo.

He escrito este libro con ánimo de ofrecer estrategias, reflexiones y habilidades que, a partir de mi amplia experiencia de campo, puedan resultarte útiles para aprender a lidiar con esas dificultades y ayudar a tu hijo a salir de ese secuestro emocional en el que a veces parece hallarse inmerso. Te mostraré cómo conocerle mejor, lo que te permitirá entenderle y, por tanto, sentirte más cerca de él.

Abróchate el cinturón, porque vamos a viajar al interior de tu hijo, con sus curvas, sus baches, sus paisajes maravillosos, sus ríos y mares, sus montañas, su vegetación, su lado más salvaje, más árido, y sus ráfagas de viento huracanado, que tantas veces despeinan nuestra melena. Tu hijo en esencia pura.

Comenzamos.

1
VIVIR A SU LADO LA ADOLESCENCIA

Lo que en la juventud se aprende, dura toda la vida.

FRANCISCO DE QUEVEDO

¿QUÉ PUEDES ESPERAR EN CADA ETAPA ADOLESCENTE Y CÓMO ACTUAR?

La adolescencia siempre me ha resultado una etapa fascinante. Es un periodo con grandes posibilidades, quizás es una de las etapas más decisivas en la vida, y conocerla a fondo nos permitirá ayudar a nuestros hijos, sin duda, a que le saquen el máximo partido. Como todo, tiene su ciencia, y mi objetivo es mostrártela para reforzar tu labor como padre durante estos años.

Hoy en día, la adolescencia es una etapa que cada vez resulta más dilatada en la vida de nuestros hijos. Ya no se trata de algo pasajero que, simplemente, aguantando la respiración conseguimos atravesar. Ahora necesitamos respirar en ella, ya que debido a factores fundamentalmente educativos y vinculados a nuestra sociedad actual, este periodo es cada vez más largo. Además, en él se resuelven las encrucijadas más importantes para la vida de nuestro hijo, por lo que debemos zambullirnos de lleno, en lugar de pasar de puntillas. De esta forma, tanto tú como tu hijo, aprenderéis cosas nuevas y maravillosas, decisivas para continuar por el camino del crecimiento y la transformación.

Si tienes un hijo con diez años, tienes un hijo que está entrando en la adolescencia. Un hijo que va a necesitar que escuches más y hables menos, que hagas aquello que dices que vas a hacer, y que pienses antes de actuar. Es muy probable que hayas notado algunos cambios en él, que hayan aparecido ciertos altibajos de carácter, emociones más complejas e, incluso, que hayan aumentado las tensiones en casa. Algunos niños, y especialmente niñas, pueden comenzar a manifestar rasgos adolescentes incluso antes, en torno a los nueve años. Recuerdo cómo una madre me explicaba, algo sorprendida, que su hija de nueve años se encerraba en su habitación a escuchar música durante largas horas cada vez que tenía algún problema con una amiguita. Este es un rasgo claramente adolescente. Su entorno, madurez, personalidad y circunstancias favorecerán que en ocasiones esa adolescencia asome con precocidad por casa, cuando tú probablemente, como padre, no te habías planteado aún tener que empezar a caminar por esta senda.

Por otro lado, comprobamos lo complejo que ha sido para los expertos del mundo fijar una edad definida como final de la adolescencia. Desde la Organización Mundial de la Salud proponen como final los diecinueve años, aunque, no obstante, desde la neurociencia, se ha podido observar que la corteza prefrontal, junto con otras estructuras cerebrales que son responsables del desarrollo emocional del niño, del desarrollo de su imagen personal y de su madurez en los juicios y razonamientos, no está del todo madura pasados los dieciocho años, alcanzando su total desarrollo en torno a los veinte años. Este es el momento en el que parece que la neurociencia ha decidido dar por finalizada la adolescencia, coincidiendo con la maduración completa de nuestro cerebro. No obstante, hay muchos expertos que trasladan su final hasta los veinticinco años.

Todos conocemos a alguna persona más cerca de los treinta que de los veinte, que, sin embargo, sigue siendo un adolescente inmaduro. En cualquier caso, lo cierto es que la adolescencia no acaba de forma súbita; uno no cumple años y se pasan las turbulencias, llegan la madurez y la responsabilidad y, qué bien, todo se arregla, tu hijo estudia, se apasiona, habla con respeto, trata bien a sus hermanos, mide la forma de dar rienda suelta a su ira, etc.

Se trata de un cambio progresivo, lento, con grandes altos y profundos bajos, en el que poco a poco las curvas del camino se van suavizando, con menos picos, menos valles y que son, sobre todo, menos frecuentes. Este es el auténtico síntoma indicativo de que el adolescente está superando esa etapa.

La adolescencia se ha dividido en tres capas, cada una con un nivel madurativo distinto:

1.ª capa: de diez a catorce años. Se caracteriza por ser una etapa de lucha contra su identidad, de conflictos con los padres, de cambios repentinos de humor, comportamiento infantil cuando hay una situación de estrés o un cambio en su vida. Crece el pensamiento abstracto.

2.ª capa: de quince a diecinueve años. Aparece en esta etapa un cambio determinante aumentando su interés por el razonamiento moral y su reflexión sobre el significado de la vida. Aparece el distanciamiento de los padres y un fuerte acercamiento a los amigos. Se inicia la capacidad de marcarse objetivos.

3.ª capa: de veinte a veinticuatro años. Afortunadamente comienza a solidificarse la identidad y una mayor estabilidad emocional. El individuo ya piensa en el futuro y sigue usando el razonamiento moral. Se desarrolla la capacidad cerebral para gestionar ideas complejas.

Cada una de estas capas requerirá un acercamiento distinto al hijo adolescente. En este cuadro se resumen las principales características que los padres deben conocer para apoyar y ser realmente una ayuda para él en esta etapa.

De los 10 a los 14 años	De los 15 a los 19 años	De los 20 a los 24 años
Momento crucial para sembrar valores antes de que lleguen las verdaderas turbulencias de la adolescencia.	Los padres tendrán peso en la medida en que su hijo vea en ellos algo que necesita y no tiene. Es importante que nuestro hijo vea que le comprendemos y entendemos su forma de ver la vida.	Aunque le veamos más estable, sigue necesitando tu escucha y tu guía. Pero cada vez hay que dejarle más autonomía, para que aumente su independencia en la forma de gestionar su vida.
Los padres deben aprovechar para sembrar un fuerte liderazgo emocional y de valores en su hijo. Luego será más difícil.	Fuerte vínculo con sus amigos y con la figura líder, su opinión puede ser más importante que la de sus padres. Puede traicionar nuestra confianza por ellos.	Como padres, ser su aliado, su incondicional, pero sin miedo a expresar de forma adecuada lo que nos parece incorrecto; sin temor a su rechazo. Hay que decírselo.
Necesita sentirse aceptado en el grupo de amigos y hará por integrarse todo lo que esté en su mano. Muy importante: conocer los valores, actitudes y entorno educativo de sus amistades principales, así como conocer bien a sus amigos y la relación que establecen con él.	Fuerte idealismo y vinculación a valores, aunque a veces no actúe de acuerdo a ellos. Aprovechar esto para inculcarle principios positivos con argumentos lo suficientemente bien fundamentados para que le motiven en su realización. Su afán de protagonismo favorecerá la charla centrada en él y en sus cosas.	Error muy grave encasillarlo como «malo», «bueno» o «echado a perder». Es probable que se comporte conforme a esas etiquetas. Permitirle que muestre el otro lado. Evitar las etiquetas le ayudará a expresarse con más libertad.
Muy dado a hacer lo que la mayoría o el líder mande. Aunque lo hará igualmente, alentarle para que tome sus propias decisiones, en función de sus preferencias.	Ofrecerle compromisos concretos y posibles. No cumplir con nuestras promesas puede generarle una actitud de rechazo hacia nosotros y romper su confianza.	Época para luchar contra el hedonismo y el materialismo que impera en la sociedad y que puede manifestarse de forma masiva en esta etapa. Su pensamiento más elaborado le ayudará a absorber estos conceptos.

DE LOS 10 A LOS 14 AÑOS	DE LOS 15 A LOS 19 AÑOS	DE LOS 20 A LOS 24 AÑOS
El deporte tiene un papel decisivo. No permitir que lo abandone por motivos inconsistentes, y si lo hace, ayudarle a encontrar otra actividad deportiva como alternativa. Poseen gran energía y vitalidad.	Gran sentido del ridículo. Mucho cuidado con las críticas delante de otros, las bromas o comentarios personales ante terceros, ya que es especialmente sensible.	Enfatizar la diferencia existente entre la disciplina interna —el deseo de crecer y sentirme bien conmigo mismo— y la disciplina externa —evitar el suspenso o el castigo—, haciendo hincapié en la importancia de la primera.
Todavía hay competitividad en los estudios. Es fundamental canalizarla de forma correcta para que sea útil como motivación. Competitividad orientada hacia sí mismo.	Es la fase de la rebeldía, es la etapa en la que padres aseguran no poder con las quejas continuas y la desobediencia de sus hijos. Es imperativa nuestra paciencia combinada con límites, afecto y seguridad en nosotros mismos a la hora de argumentarle nuestras decisiones, siempre después de haberle escuchado.	Su relación con los otros comienza a verse influenciada por el deseo de una relación más íntima con alguien del otro sexo. Aunque puede aparecer desde antes, ahora es más llamativo. Resaltarle su aspecto maravilloso, pero ayudarle a no descuidar otros aspectos o intereses de su vida. Equilibrio.
Hacerle participar en vuestras conversaciones y escuchar mucho. No prolongar ningún diálogo más de treinta minutos.	Sus conversaciones son apasionadas y vivas y así deben ser también las nuestras con él, para fomentar la empatía y la escucha activa.	Sienten preocupación por su futuro profesional. Asegurarnos de que no elige ciertas opciones por no verse capaz de hacer lo que realmente quiere. Fomentar su motivación y confianza en sí mismo.
Es importante fomentar la disciplina, que puede empezar a verse amenazada. Ayudarle a gestionar su tiempo con equilibrio entre sus responsabilidades y sus aficiones.	Tiende a rechazar todo lo que tiene que ver con su vida anterior, pudiendo alejarse de amigos sanos y de actividades positivas. Recomiendo escuchar y alentar su entusiasmo y compromiso con lo que le beneficia. Decirle lo mismo, de modos distintos.	Es importante para seguir siendo influyentes en su vida tener respuestas inteligentes y argumentadas a sus preguntas. En esta fase el joven es capaz de darse cuenta de si, como padre, vives coherentemente con eso que predicas.

LOS LOBOS QUE LUCHAN EN EL INTERIOR DE TU HIJO

Existe un proverbio alemán que dice: «Cuando el niño crece, tiene un lobo en el vientre». Yo creo realmente que tiene dos, lo explicaré más adelante. Lo cierto es que esta expresión resalta el componente de lucha que aflora en la adolescencia, una dura batalla entre el que es y el que quiere ser. La diferencia entre cómo le ven los demás y cómo quiere que le vean. Y esa lucha interna produce muchas veces un estado anímico cambiante, con altos y bajos, explosiones emocionales, mutismo, alegría desbordante o tristeza profunda. Si la adolescencia se caracteriza por algo es precisamente por albergar emociones a raudales, muchas de ellas extremas, que nos desconciertan como padres. Esas emociones intensas son observables por nosotros como espectadores de primera fila y, con frecuencia, van precedidas por una lucha interna que, o bien ha finalizado, o bien sigue abierta dentro de él.

Recuerdo el caso de María, de quince años. Un día en nuestra sesión me dijo: «No puedo con mi madre, cuando se pone en plan crítica sobre si la falda no me queda bien, si esta camiseta es horrorosa, y todo, apenas unos minutos antes de salir con mis amigas, no lo soporto de verdad, parece que lo hace a propósito para sacarme de quicio». El caso es que María llevaba horas en su habitación probándose diferentes conjuntos de ropa que no acababan de convencerla y libraba una férrea batalla interior con respecto a su imagen. El comentario de su madre probablemente hizo que se dispararan sus emociones y pagó con ella toda la tensión acumulada. María está en la fase dos y, como hemos visto en el cuadro, es fundamental el manejo de la crítica en esta etapa, saber detectar esas luchas interiores en nuestros hijos para profundizar en sus emociones y actuar en consecuencia.

A veces observarás que tu hijo llega a casa más serio de lo habitual, o, por el contrario, lo hace con una amplia sonrisa. O que, en ocasiones, se encierra en su cuarto sin apenas hablar y en otras se muestra más colaborador que nunca. Nosotros asistimos perplejos a estos cambios de humor aparentemente inexplicables, pero que tienen su fundamento en el universo de tu hijo. Algo ha sucedido que le está provocando esos cambios. Ser sensible a ello es muy importante, porque nos permitirá conectar con su vida y los acontecimientos que en ella suceden. A ellos les resultará difícil abrirse emocionalmente si perciben que te enfadas o te sientes herido por lo que hace. Eliminar esa percepción es parte de nuestro trabajo como padres; de lo contrario, nos expulsará de su vida íntima, y perderemos una información que es de vital importancia conocer.

A todas estas emociones encontradas hay que añadir los cambios físicos. Siempre que pienso en ello, me viene a la memoria el famoso cuento del patito feo, ¡cuántas veces nuestros hijos se han sentido como patitos feos en el camino de su trasformación física! Acné, bello, altibajos en el peso, cambios en la voz, crecimiento del pecho… hasta convertirse finalmente en bellos cisnes, pero, qué arduo es el camino hasta alcanzar esa meta, qué inapropiados se pueden llegar a sentir, y qué bello proceso de entrenamiento han de recorrer para ir superando sus primeras adversidades. Pretenden aparentar ser mayores, pero se sienten inseguros; quieren ser fuertes y autónomos, pero experimentan una incuestionable necesidad de pertenecer al grupo; quieren ser libres y tomar sus propias decisiones, pero los padres todavía son los gestores de su libertad y su economía. En cualquier caso, ellos tampoco están preparados para tantos cambios, tan pronto, tan rápido, tan por sorpresa… El deporte es una de las mejores maneras de ayudarles a gestionar mejor todos esos cambios físicos, prevenir los problemas relacionados con la alimentación, o la insatisfacción con la imagen corporal, sobre todo en las niñas. Siempre recomiendo que el deporte esté incorporado a las rutinas familiares desde el inicio de la infancia, pero si no es así, siempre hay tiempo para incorporarlo.

En Jaime, un muchacho de diecisiete años al que trataba en la consulta, su adolescencia empezaba a dejar mella en el rostro, a través del acné que había aparecido en su frente y sus mejillas. Le estaba minando enormemente la autoestima. Entonces Jaime comenzó a correr con frecuencia y ocurrió algo que él calificaba como mágico; cuando salía de casa se puntuaba del uno al diez en función de cómo se veía a sí mismo. Normalmente, se otorgaba una media de tres. Tras correr alrededor de cuarenta minutos, después de una ducha y ponerse cómodo, debía repetir la valoración, y esta aumentaba, por término medio, hasta los 6 puntos. No solo se autoaprobaba, sino que se concedía un bien. Indudablemente, era el mismo que una hora antes se castigaba con un insuficiente, los mismos granitos, en los mismos lugares, —«mágico, ¿no?»— me decía Jaime. No es magia, es química, es serotonina, adrenalina, opiáceos endógenos, que ayudaban a Jaime a verse mejor. ¡Qué buena receta!

La autoestima, el bienestar, aunque a nuestros hijos les cueste darse cuenta, nace desde su interior hacia el exterior. Si el interior no está bien, el exterior tampoco lo estará. Darán igual los esfuerzos estéticos que se inviertan, solo si el interior está bien, relativizaremos nuestra percepción del exterior.

También se producen cambios en la manera de vestir. La adolescencia es la época en la que muchos jóvenes comienzan a cambiar su atuendo. Pueden decidir vestir solo de negro, teñirse el pelo de colores, rapárselo o cubrirse el cuerpo de tatuajes o *piercings*. Todo ello no es más que una necesidad individual de proclamar a gritos quién es, cómo es, lo que siente, qué piensa, y cuándo lo piensa. En estos casos, el desprecio de los padres a estas formas de expresión suele ser interpretado por el adolescente como un rechazo a su persona, a sus ideales, a sus emociones y al grupo de referencia al que pertenece sin reservas. Mala receta. Recuerda que estos cambios suelen ser temporales, suelen evaporarse, igual que vienen se van.

La ropa, en estas etapas, se manifiesta como un objeto instrumental para alcanzar cierta seguridad, solo eso. Cuando nuestro hijo descubra quién es, no le importará que los demás no lo sepan, porque, en caso de que les interese saberlo, ya se esforzarán por acercarse y conocerlo. En definitiva, habrá madurado. Por el contrario, es información útil acerca de sus gustos y sus ideales. Invierte más tiempo en descubrirlos con una mente abierta que en juzgarlos. Dará mejores resultados.

Hasta aquí tres claves indispensables para entender la adolescencia:

- La lucha abierta e interior del adolescente, con claro reflejo en el exterior. No se debe tomar como algo personal.
- Las emociones encontradas, expresadas torpemente y a borbotones.
- Los numerosos cambios físicos y de forma de vestir que le llevan a reivindicarse ante el mundo de una determinada manera.

Son los lobos que habitan en el vientre de tu hijo los que en ocasiones hacen que no reconozcamos a ese dulce y cariñoso niño de antes. ¿Dónde está?, se preguntan muchos padres. Está ahí mismo, frente a ti, pero no siempre quiere mostrar dulzura y, a veces, la oculta tras su frialdad o indiferencia, que le confiere, o eso cree, un aire mucho más maduro. A veces, esa indiferencia tiene su origen en algo que le preocupa, y entonces se aísla, se distancia, no quiere abrirse, no quiere derrumbarse, y contigo es posible que ocurra, al fin y al cabo eres mamá, eres papá, y a tu lado sigue siendo un niño. Pero, afortunadamente, podemos hacer muchas cosas para llegar hasta él de otros modos. Tal y como decía Einstein: «En los momentos de crisis solo la creatividad es más importante que el conocimiento».

Recuerdo a un padre que vino a mi consulta. El hombre, conocedor de la distancia que confiere en ocasiones el inicio de la adolescencia, decidió compartir con su hija de diez años un nuevo *hobbie:* patinar. Aquel padre tenía cuarenta y ocho años, un trabajo de lunes a viernes y otros dos hijos mayores de quince y dieciocho años, pero, aun así, sacó tiempo para cumplir su objetivo. ¡Qué héroe!, ¿no creen? Aunque era un buen deportista, acometió un verdadero reto subiéndose a unos patines junto a su ágil y osada hija. Durante años, esa rutina les ayudó a sentirse cerca, a compartir un espacio en el que, más allá de la propia actividad en sí, compartían el miedo a las caídas, la satisfacción por su evolución positiva, la diversión ante una buena mañana de patinaje, y algún que otro rasguño. Hoy, todavía continúan patinando juntos. Qué maravillosas herramientas: intimidad, tiempo compartido de calidad e intereses comunes. Buena receta.

Otras veces, comprobamos que su interés por todo lo que le enseñamos está en lucha con su apatía y su indolencia. De esta manera, trata de aumentar su autonomía, de separarse de nosotros, de ver qué sucede si camina solo.

Los padres, frustrados y rechazados, nos retiramos ante la falta de interés de nuestros hijos por nosotros. Ahora, su alegría, su energía, su ilusión, las invierte en su novio o en su novia, en sus amigos, mostrándola en casa con poca frecuencia. El tema es que a vosotros ya os tiene conquistados, ahora es al resto del mundo al que ha de conquistar.

Los lobos siguen estando ahí; se manifiestan en la constante dualidad que subyace entre lo que debe hacer y lo que quiere hacer, entre lo que dice y lo que finalmente hace. Esta lucha se materializa en una anécdota entrañable que me sucedió hace unos años en la boda de un familiar. Era una ceremonia sencilla, con pocos invitados, pero todos muy allegados. Mis hijos andaban de aquí para allá entre las mesas hablando con unos y otros. Entonces, un familiar del novio se levantó y comenzó a tocar el violín de forma deliciosa. Mi hijo mayor, Óscar, un amante de la música desde muy pequeño, más incluso de lo que reconoce, siempre se ha empeñado en disimular la enorme emoción que le genera la música, pero lo cierto es que su cuerpecito se mueve de manera involuntaria en cuanto escucha las primeras notas. En esta ocasión se me acercó y me dijo: «Mamá, quiero bailar, pero me da vergüenza, me van a mirar todos...». Comprendí perfectamente lo que debía de sentir y le dije: «Mira cariño, a veces sentirás que tienes dos lobos luchando dentro de ti: uno es el de la vergüenza, el otro el de la valentía». Rápidamente me interrumpió: «Y ¿quién gana, mamá, quién gana?». «Ganará aquel al que tú decidas dar de comer. Si hoy no bailas, estarás alimentando al lobo de la vergüenza y este se hará más grande y fuerte. Sin embargo, si bailas, estarás fortaleciendo tu valentía». Me miró con cara de estar asimilando cuanto acabada de oír, y con la música del violín de fondo, comenzó a moverse y a bailar, ante la atenta y divertida mirada de amigos y familiares. Recuerdo la escena con todo detalle, porque comprobé que mi hijo, a pesar de su sonrojo, no dejaba de bailar, y no dejó de hacerlo durante un buen rato. Me sentí orgullosa y feliz por verle gestionar aquella situación que le sacaba fuera de su zona de confort. Cuando la música terminó, vino corriendo, se echó en mis brazos y me dijo: «Mamá, me he puesto rojo, pero lo he hecho». Fue un gran hito para él, porque logró superarse y de vez en cuando recuerda aquellos lobos para enfrentarse a una nueva situación de superación. Los niños son realmente sabios y nunca olvidan una herramienta útil cuando disponen de ella.

Hoy sé que todos llevamos esos lobos dentro, no importa la edad que tengamos, tampoco si somos hombres o mujeres, si nuestra estatura es alta o baja, si somos o no malos estudiantes, pacientes o impacientes, todos, absolutamente todos, libramos batallas de este tipo casi a diario. Pero en la adolescencia aparecen con toda su fuerza. Analicemos las principales batallas que se producen en el interior de nuestros hijos: veremos a la valentía luchando contra la vergüenza; la reflexión se enfrentará a la impulsividad; el esfuerzo librará batalla contra la pereza; la frustración se enfrentará a la paciencia; la ira al amor; la sinceridad contra el engaño, e incluso, a veces, serán varias las batallas que se libren a la vez. ¿Y quién ganará? La victoria va a depender de a quién dé de comer nuestro hijo. En muchos momentos, esas luchas se convertirán en entrenamientos para ir encontrando su propia identidad, conformando su propia escala de valores, quién quiere ser, a quién le gustaría parecerse.

Otras veces, el niño no quiere luchar y ya, desde el comienzo, parece dar por vencedor a uno de los lobos, lo que nos resulta más frustrante todavía. En todo este proceso te animo a que no desesperes. Confía en que en el interior de tu hijo coexisten no solo la ira, también el amor; no solo la pereza, también la capacidad de esfuerzo; no solo la vergüenza también la valentía, y así sucesivamente. Según el taoísmo no existe el yin sin el yang, como tampoco la luna sin el sol, el día sin la noche, el orden sin el caos; del mismo modo, nuestros hijos pueden estar mostrándonos un único lado de sí mismos, un cincuenta por ciento. Pero en algún rincón escondido se encuentra el otro cincuenta por ciento que le convertirá en una persona completa, más fuerte, más equilibrada. Así que, aunque uno de los lobos haga más ruido que el otro, aunque uno de ellos esté sobrealimentado, verás que es posible despertar al otro lobo que hay en tu hijo, facilitando que pueda sentirse fuerte y victorioso ante sus propios retos.

Recuerda:

- La adolescencia puede surgir de forma más o menos repentina y muy temprana. Nueve/diez años.
- Su final está marcado por una condición emocional y madurativa más equilibrada, con menos inestabilidad en su estado de ánimo y más serenidad en su día a día. Suele ocurrir en torno a los veinte/veinticinco años, momento en el que se definen la identidad y el lugar que nos corresponde en el mundo.
- Observa las batallas internas que libra tu hijo. Sus síntomas suelen ser las explosiones emocionales que manifiesta, o el aislamiento y/o mutismo desde la trinchera segura de su habitación.
- Acércate a tus hijos, comparte actividades, *hobbies* o cosas que le puedan interesar, necesita tu proximidad, que se traducirá de inmediato en una mejor comunicación entre ambos.
- Trata de interiorizar los puntos del cuadro que te puedan resultar más útiles y comprométete a llevarlos a cabo desde hoy.

- Aunque a tu hijo le gane siempre el mismo lobo, no dudes que el otro también vive dentro de él. Solo está esperando a que lo alimenten. Todos somos cincuenta por ciento de uno y cincuenta por ciento de otro. En este libro descubriremos cómo alimentar al deseado.

- Los cambios físicos son temporales, y ocasionan frustración y, a veces, preocupación desmedida en nuestros hijos. El ejercicio físico es un gran aliado. Si te piden apoyo para realizar alguna actividad deportiva, no dudes en brindárselo. Es vital para mejorar su autoestima.

- La imagen, vestimenta y accesorios pueden resultarnos inadecuados. Procuremos contener nuestra crítica feroz y abierta o, al menos, dejar fuera de ella los valores o ideales que representan. En su lugar, elaboraremos argumentos serenos, sólidos e inteligentes para ayudarle a aterrizar con sus pies sobre el suelo, y suavizar el extremismo en sus posiciones. Normalmente, tu hijo volverá a vestir como antes cuando conquiste seguridad en sí mismo y ya no necesite dejar claro ni a él ni a los demás su propia identidad.

Hay una película muy recomendable sobre la adolescencia: *El club de los poetas muertos,* del director Peter Weir.

2
EDUCAR LAS EMOCIONES: CÓMO LOGRARLO

No te comprometas cuando estés feliz.
No decidas cuando estés enfadado.
No juzgues cuando estés triste.

EMOCIONES ADOLESCENTES

La comprensión y regulación de nuestras emociones hacen que podamos convertirlas en nuestras mejores aliadas, en lugar de verlas como enemigas. Lo mismo les ocurre a nuestros hijos. En la adolescencia, las emociones tienen un papel fundamental, diría que protagonista. Es el combustible para su energía, porque todo lo que siente tu hijo es intenso, como si lo sintiera a través de una lupa de aumento, a la vez que rehúye las actividades, personas y tareas que no le aportan esa adrenalina. Es lo que se conoce como «el drama del adolescente». Preséntale un debate moral y se involucrará a tope con pasión, enfado y actitud crítica. Nada a medias tintas. Aquellos planes en los que no percibe emoción alguna, le serán indiferentes y nos costará implicarle. Todo este ímpetu emocional, por otra parte, atesora muchas ventajas. Esta energía le puede servir al niño como catapulta para involucrarse con ímpetu en los nuevos horizontes educativos y personales que se le irán abriendo año tras año. Le permitirá vivir sus aficiones con pasión. En esa época su capacidad de aprendizaje es bárbara, quizás la última gran oportunidad para customizar el propio cerebro, es decir, diseñarlo de acuerdo a los propios planes. ¿Pero qué planes son esos?

Es curioso observar a profesores o educadores que se emocionan y se apasionan con lo que enseñan, y son más respetados por los niños que aquellos otros que se expresan de manera neutra o formal. Recordemos la famosa película *El club de los poetas muertos.* Su protagonista, un profesor de literatura, vehemente y poco conservador, interpretado por Robin Williams, se ganaba el respeto y la admiración de un grupo de jóvenes en edad adolescente. Y lo hacía a través de la poesía y su famoso *carpe diem,* que significa: aprovecha el momento, vive el presente, no pierdas el tiempo. Expresión muy coherente con el sentir del adolescente. Con esa urgencia por vivir, por la ausencia de reflexión, por esa impulsividad y por no meditar sobre las consecuencias en el mañana.

Vivir a tope el presente es maravilloso, y creo fundamental entrenarnos para ello, pero aprendiendo a paladear «todos» los sabores que nos ofrece el presente. No solo los positivos, agradables o placenteros.

Por esta razón a veces el presente será esfuerzo. En ese caso, enséñale *carpe diem;* a veces diversión: *carpe diem;* a veces miedo: *carpe diem.* Es importante enseñar a nuestros hijos el verdadero significado que atesora esta maravillosa frase: vive plenamente tu momento presente, porque algo te va a enseñar, algo aprenderemos de él, aunque ese momento no sea especialmente placentero, aunque no sea divertido, todos los momentos presentes son fuente de sabiduría si sabemos detenernos en ellos. *Present* en inglés significa «regalo». Y es un regalo si dejamos de asustarnos, como padres, ante ciertas emociones presentes en nuestros hijos durante la adolescencia. Sufrimos cuando no aceptamos con serenidad el momento presente, cuando tememos que dure para siempre, o cuando nos victimizamos por el hecho de sentirlo. Aprender de esos momentos es un auténtico regalo. Nuestro ejemplo como practicantes de esta forma de gestionar las emociones, de aprovechar el presente como fuente de conocimiento, será el mejor maestro para nuestros hijos.

Juan tenía dieciséis años cuando acudía regularmente a mi consulta. Era un gran pianista, y también un niño introvertido. Durante semanas llevamos a cabo nuestras sesiones en un auditorio, con el propósito de que aprendiera a respirar, a relajarse mientras tocaba el piano, y así poder interpretar en público. Pero el razonamiento de Juan era erróneo. Él creía que, para lograrlo, debía dejar de sentir la timidez y el nerviosismo que le atenazaban cada vez que se sentaba al piano para tocar ante otras personas. Comprendió que se puede estar nervioso, y asumirlo, echarlo a un lado a través de la concentración única en la respiración y en el sonido de la música. Al principio, su estado nervioso le hacía temblar, provocando errores al presionar las teclas de su piano, pero aprendió a respirar tras cada error y a evitar dejarse arrastrar por él, recuperando de forma inmediata su atención en el presente, en la melodía, en su respiración, hasta dominar la técnica con verdadera habilidad. Como Juan, la gran mayoría de los adolescentes son generosos en su empeño por superar sus dificultades personales, muy al contrario que buena parte de los adultos. Juan acabó tocando el piano con soltura ante un montón de amigos en una fiesta privada. Para él fue algo mágico; para mí cuando me lo contó, también.

¿Cuántas veces hemos oído a nuestros hijos decir «no me apetece»? Cuando mi hijo me dice que no le apetece hacer algo, yo siempre le digo que la apetencia o la ausencia de ella no son razones para abandonar una tarea. Es un estado de ánimo. Y los estados de ánimo no deben decidir nada. Lo podrá realizar igual apeteciéndole que sin apetecerle. Enséñale a tu hijo que no cierre la puerta a su desgana, pero sin que su presencia repercuta en el desarrollo de la acción. La tarea hay que hacerla; pues lo mismo ocurre con el resto de las emociones. Si está triste y no le apetece salir con sus amigos, es mucho más interesante para él quedar con ellos, aun acompañado de esa honda tristeza, que quedarse en su cuarto, donde alimentará la aflicción, la pereza o la emoción negativa que le invada en ese momento.

No todas las emociones gozan de la misma popularidad. Tu hijo no va a querer experimentar todos los sentimientos. Algunos le aportarán seguridad, fuerza y confort, mientras que otros le harán sentir inseguro y vulnerable. Enseñarle a asumirlos desde la tranquilidad, tanto desde la suya como desde la tuya, debe ser nuestro trabajo como padres. Ayudarle a que las emociones no le dominen también será un gran reto.

Los jóvenes más inseguros, aquellos con la autoestima más baja, sentirán que les aporta fortaleza la propia expresión de aquellas emociones que, en su grupo social de referencia, estén aceptadas. También, aquellas otras que no les comprometan en exceso, para que su interior no quede demasiado expuesto ante los demás.

Las más habituales suelen ser: indiferencia, enfado y alegría —sin llegar al entusiasmo absoluto—. Y para expresar miedo, dolor, tristeza, amor, preocupación y pasión, la autoestima del niño ha de ser sólida y fuerte, porque se «desnudará» a través de estas últimas emociones. Todas ellas, no obstante, son necesarias para crecer. Por tanto, un hogar donde se expresen las emociones desde la calma y la serenidad será favorable para el desarrollo del adolescente.

No son recomendables los gritos cuando tu hijo se enfada desmedidamente; tampoco manifestar ansiedad a través de un interrogatorio que contenga un millón de preguntas cuando tiene que emprender un desafío; ni enfadarse cuando en el fondo lo que prevalece es nuestra preocupación por su actitud. Todas estas reacciones pueden tener el efecto contrario al deseado.

En un contexto familiar normal, lo más sano es permitir la aparición de cualquier emoción, sin que sea juzgada o bloqueada. La clave es el modo en que esta será expresada. Y, por supuesto, que no contagie al resto de la familia. Para ello: respira, calma, aquieta y después actúa. Difícil, ¿verdad? Lo sé, pero funciona.

Vamos a observar las diferentes emociones, cuándo son funcionales y cuándo se convierten en disfuncionales. También algunos ejemplos tanto de padres como de hijos. Se trata de resaltar la importancia que tiene para nosotros tanto aprender a manejar nuestras emociones, como entender las emociones de nuestros hijos, y comprobar que la positividad o negatividad de una emoción no reside en la cualidad de esta, sino en lo que hacemos con ella.

La conducta, la estrategia de afrontamiento, es lo que valida o invalida la ira, el miedo, la timidez, etc.; poner el acento en la forma en que ellos gestionan la emoción, no en que sientan la emoción propiamente dicha. Si tu hijo experimenta envidia, la emoción será totalmente funcional, siempre que este *input* le sea útil para elaborar una estrategia que le permita conseguir eso que tanto desea del otro. No obstante, se convertirá en disfuncional si esa envidia le lleva a tratar de arrebatar al otro lo que tiene o a rechazarle por tenerlo.

Te animo a que busques más ejemplos de tu día a día, tanto en tu mundo emocional como en el mundo emocional de tu hijo, para que puedas identificar las experiencias del mismo modo. En primer lugar, hay que ponerle nombre a lo que sientes, reconocer el objetivo propuesto en esa situación y la información que se deriva de la emoción, para después valorar las posibles estrategias de afrontamiento.

EMOCIÓN	INFORMACIÓN
MIEDO Ejemplo: miedo a zonas oscuras.	Bienestar físico, psicológico o social en peligro. Ejemplo: miedo a ser robado.
ANSIEDAD Ejemplo: ansiedad ante un examen.	Sentir que los recursos no son suficientes para las demandas. Ejemplo: «Y si… no estoy capacitado».
ENFADO Ejemplo: «Mis hijos se gritan».	Se interpone un obstáculo entre mi objetivo y yo. Ejemplo: «No quiero que se hablen así».
FRUSTRACIÓN Ejemplo: «Mis hijos se gritan y no me hacen caso».	Mi estrategia no es suficiente para superar el obstáculo entre mi objetivo y yo. Ejemplo: «Quiero que hablen en lugar de gritar y no me hacen caso».
CULPA Ejemplo: mi hijo se enfada y nos dice cosas de las que luego se arrepiente. «No dije lo que pensaba en aquel momento».	No he sido consecuente con lo que realmente pensaba en ese momento. Ejemplo: «Quería decirle a mi madre lo importante que era para mí esa situación, no lo hice».
CELOS Ejemplo: «Mi novia disfruta bailando con otros amigos».	Siento que me falta una cualidad que atribuyo a la otra persona y por la que además mi novia muestra interés. Ejemplo: «Yo no sé bailar».
ALEGRÍA Ejemplo: «He compartido un buen momento con mi hijo».	Ganancia física o emocional. Ejemplo: «Disfruto compartiendo tiempo con mi hijo».
TRISTEZA Ejemplo: «Ha fallecido alguien cercano».	Pérdida física o emocional. Ejemplo: «Ya no podré estar con esa persona».

EMOCIÓN FUNCIONAL (EMOCIÓN Y RAZÓN)	EMOCIÓN DISFUNCIONAL (EMOCIÓN SIN RAZÓN)
Me permite estar alerta para actuar con eficacia. Ejemplo: correr o defenderse.	Paralización, pánico. Ejemplo: quedarse quieto y sin hablar.
Me permite valerme de los recursos necesarios antes de que llegue la situación. Ejemplo: prepararlo.	Crisis de ansiedad. Ejemplo: «Me cuesta respirar, no consigo hacer uso de mis recursos».
Me proporciona la energía que necesito para superar el obstáculo. Ejemplo: hablar con ellos de la situación.	Perder de vista el objetivo. Ejemplo: terminar gritando como ellos.
Me hace ahorrar energía hasta conseguir el modo de lograr mi objetivo. Ejemplo: «Dejo de gritar y reflexiono. No me desgasto en el proceso».	Generalizar a otras situaciones donde sí dispongo de recursos y, ante la mínima señal, me siento impotente y ni lo intento. Ejemplo: «A pesar de aprender nuevos recursos para enfrentarme, no actúo, porque sigo creyendo que no puedo».
Puedo solucionar mi error Ejemplo: pedir perdón, explicarlo y dar las gracias.	Prolongar el pensamiento rumiativo, recriminándome lo mal que lo hice, sin sacar ninguna productividad para el presente o futuro. Ejemplo: «Qué mal lo hice».
Puedo reforzar la cualidad personal que siento insuficiente y no sobrevalorarla. Ejemplo: aprender a bailar y valorar otros rasgos que también son positivos en mí y que seguro mi novia también valora.	Focalizar mi malestar en el exterior (mi novia bailando con otros), en lugar de proponerme cambios personales. Ejemplo: enfadarme con mi pareja.
Me permite identificar la ganancia y buscar el modo de volver a sentirla. Ejemplo: crear más momentos para compartir.	Pasar por alto estas situaciones, resignándome a no volver a sentir estos estados emocionales. Ejemplo: no los reconozco, no los busco.
Evidencia la necesidad interna de superar el duelo, la pérdida, y exteriorizar el dolor para encontrar apoyo. Ejemplo: «Mi familia me apoya y delego provisionalmente responsabilidades».	Cronificar la dolencia, acomodarme en el rol de víctima. Ejemplo: depresión y necesidad de ayuda constante, no retomando mis responsabilidades.

LAS EMOCIONES EN LOS PADRES: CÓMO DEJARLES MIGUITAS DE PAN

LA EMOCIÓN NO ES TU HIJO

Tu hijo puede sentir ira, pero no tiene que comportarse como un borde. Tu hijo puede experimentar pereza, pero no es un vago. Puede sentir miedo, pero no ser un miedica. Y así, sucesivamente... Somos el cien por cien ¿recuerdas?; y si estableciéramos ese juicio de valor estaríamos olvidando el otro cincuenta por ciento de nuestro hijo, que reside en algún lugar dentro de él. Sería como confundir la enfermedad con el paciente. Un médico lucha contra la enfermedad, no contra el paciente. Un padre se enfrenta a la emoción, no a su hijo. Tu labor es la de saber con qué emoción tienes que lidiar, conocer a fondo la anatomía de esa emoción, sus antídotos, lo que la hace fuerte y, entonces, solo entonces, actuar. Actuar de este modo tendrá varios efectos sobre ti. El primer efecto: a cada manifestación inadecuada de tu hijo, no tienes por qué cuestionar a «todo» tu hijo. Los padres somos especialistas en esto. Enfocamos tanto su punto débil que todo termina girando en torno a él, olvidándonos del resto. El segundo efecto: estar despiertos ante la aparición de conductas, emociones, expresiones, incluso contrarias cualitativamente a la emoción negativa, y ser capaces de captarlas para reconocerlas en el repertorio de tu hijo. Esto reforzará su propio conocimiento, para discernir qué clase de conductas y habilidades reciben más reconocimiento familiar y social. Se trata de romper la etiqueta que tiene en casa, poniendo el acento en cualidades distintas de su perfil y haciéndole partícipe de ello.

La *Ley de la asimetría hedónica* postula que nuestro cerebro, al igual que el de tu hijo, tiende a centrarse en lo negativo y no en lo positivo. Se trata de una respuesta vinculada a nuestra reacción más primaria de supervivencia. Por ejemplo, si nos ponemos unos zapatos nuevos y estos nos quedan estupendamente, no vamos a sentirlos ni a fijar nuestra atención en ellos a lo largo de todo el día; pero si esos mismos zapatos nos hiciesen daño en un dedo, no podríamos dejar de pensar en nuestro calzado ni un minuto. Lo mismo ocurre con nuestros hijos. Si estamos en un restaurante con unos amigos, estaremos pensando: «¡Ay, hijo, sé más simpático!», «¡qué borde, de verdad!», «¡pero qué manera de expresar sus ideas, es un grosero!», mientras que otros muchos detalles positivos pasarán desapercibidos. Prestamos atención a los aspectos de nuestros hijos que son amenazadores para nuestra autoestima como padres, quedando al mismo tiempo diluidos los rasgos positivos. Hay un proverbio maravilloso que dice: «Hace más ruido un árbol cayendo que cien creciendo». Este es el efecto del que hablamos. Para trabajar sobre esta trampa mental, te animo a que pongas en marcha la siguiente receta: por cada conducta que te disgusta de tu hijo añade cinco que estén relacionadas con algo que sí te guste. Este hábito te ayudará a luchar contra la *Ley de la asimetría hedónica* y te permitirá separar a tu hijo de su emoción y hacer más presente sus cualidades. Él es mucho más que una emoción, de hecho él está detrás, oculto tras ella. No le pierdas de vista, aunque a veces te cueste encontrarlo.

TRANSFORMA LA MANERA DE ACERCARTE A ÉL

En muchas ocasiones, cuando aparece una emoción fruto de un conflicto con tu hijo, no se expresa como tal en un primer momento. Muchos padres, cuando se preocupan por su hijo, reaccionan con el enfado, la exigencia, la frustración o, incluso, la rabia. Esto puede llevarnos a actuar de forma equivocada con él, y a transmitir un mensaje que no es el que verdaderamente queremos transmitir.

Víctor vivía esta situación frecuentemente en casa. Tenía dieciséis años cuando le conocí. Su padre estaba realmente preocupado por él: «No estudia, y es listo, pero es como si no le naciera ese instinto de superarse; todo lo contrario, tira la toalla, se encierra en sí mismo, y encima se pone borde. Madre mía, me recuerda tanto a mí... No quiero que sufra tanto como yo». Lo cierto es que Víctor se protegía de la reacción de enfado de su padre aislándose cada vez más. Se sentía incomprendido y convencido de que su padre pensaba que era idiota —nada más lejos de la realidad—. Esto minaba su confianza. Para él su padre era alguien importante y sus opiniones determinantes. Si su padre no creía en él, ¿cómo lo iba a hacer él mismo? Lo cierto es que el padre de Víctor estaba tremendamente preocupado, pero su inquietud no era perceptible para su hijo. Él solo sentía su rechazo, su crítica y su enfado. Pero no a sus resultados académicos, su rechazo hacia él, hacia Víctor. Esto sucede, fundamentalmente, cuando actuamos de manera impulsiva, sin pararnos a reflexionar o a conectar con nosotros mismos antes de actuar sobre nuestros hijos. Muchas veces somos catárticos más que educadores. Por esta razón, es muy importante parar para reconocer que tienes miedo, porque la interpretación que haces de la conducta de tu hijo no es la correcta y, tal vez, estás siendo demasiado dramático. Tal vez no estés separando su conducta de tu propio hijo y, sobre todo, quizás no poseas la estabilidad emocional para transmitírselo.

Recuerda que no puede enhebrarse una aguja montado en un toro mecánico. A veces estás enmascarando tu emoción base, y esto te puede hacer sentir como si estuvieras sobre ese toro en el difícil proceso educarles. Obsérvalo y bájate.

AQUIETA, CALMA Y ACEPTA

Las emociones son como un constipado. A veces lo pillamos y no nos queda más remedio que guardar cama, descansar, tomarnos un caldito y esperar a que pase. A nadie se le ocurriría enfadarse con su hijo o consigo mismo por pillar un constipado, ¿verdad? Cierto es que a veces no vamos lo suficientemente abrigados y eso puede hacer que nos resfriemos con más frecuencia de la deseada. Pero ¿qué es estar abrigados en relación a la emoción? Probablemente eres más susceptible de «constiparte emocionalmente» si estás muy cansado, después de un arduo día de trabajo, tras una jornada de estrés, si tienes el estómago vacío, en pleno calor de agosto o cuando te agobian las prisas. Para cada uno el abrigo es algo distinto. Tiempo habrá de analizar las prendas adecuadas para evitar el constipado.

Para comprenderlo, te animo a la reflexión: ¿qué situaciones imposibilitan la necesaria tranquilidad y la claridad suficiente para responder de forma educativa a las conductas de tu hijo? Coge el hábito de parar siempre antes de responder, sobre todo si llevas «poco abrigo». Reaccionar *versus* responder, he ahí la cuestión. No siempre lo conseguirás, pero tratar de proponértelo cada día, será como tomar una buena fuente de vitamina C antigripal.

Es una buena práctica acostumbrarnos a invertir un poco más de tiempo en serenarnos antes de contestar.

Es más importante el tono emocional con el que nos enfrentamos a nuestros hijos que las propias palabras que les decimos. Mi experiencia profesional me ha enseñado que ellos recuerdan mucho más cómo les decimos las cosas (ochenta y tres por ciento del impacto del mensaje), que lo que les decimos (siete por ciento del impacto del mensaje) y, si encima hablamos a gritos, ese porcentaje disminuye aún más. Lo expresa perfectamente el famoso dicho: «Cuánto más me gritas, menos te oigo». Esto nada tiene que ver con poner límites o no, sino que tiene que ver con el control o descontrol que sentimos sobre nuestra propia emoción al relacionarnos con nuestros hijos.

La respiración

A la respiración le debemos ese primer gran cachete que nos dan al nacer. Tras él, llega la primera gran bocanada de aire a los pulmones y el primer llanto. Como esto lo vivimos desde nuestra perspectiva de padres, interpretamos el llanto con gran alivio… Respira.

La respiración a partir de ese primer gran momento y hasta el último minuto de nuestra vida, nos acompañará siempre. Es nuestra amiga leal, el termómetro que nos indica cómo nos encontramos emocionalmente, y el director de orquesta del resto de las respuestas fisiológicas de nuestro cuerpo. Si calmamos la respiración, pensamos con más claridad, relajamos el cuerpo y nos preparamos para afrontar con positivismo los retos o adversidades que se nos avecinan. Sin embargo, bloquear la respiración, acelerar su frecuencia, alterar su ritmo natural nos predispone a la lucha, al estrés, al bloqueo, al miedo. Nos dificulta enormemente la regulación emocional. Semanalmente tengo adolescentes y adultos en consulta con problemas de ansiedad, de estrés, que somatizan a través de la respiración su falta de recursos para afrontar ciertas situaciones. Al trabajar la manera de respirar, les ayudo a lidiar con los conflictos o dificultades del día a día. Te animo a que comiences a practicar con este pequeño ejercicio.

Conteo de respiraciones

Indicaciones: este ejercicio está indicado para mantener la atención en nosotros mismos, en nuestra respiración, en lugar de en el foco provocador de la emoción. Nos ayuda a bajar de ese toro mecánico que es la emoción para apaciguarla, y de este modo acumular mayor capacidad para dar una respuesta funcional y constructiva.

Lugar: en un lugar tranquilo y con pocas distracciones, donde se puedan mantener los ojos cerrados, sin que nada ni nadie pueda interrumpir. Por ejemplo, en la cama antes de dormir.

Cuándo: comenzar a practicarlo diariamente, como simple entrenamiento, lejos de situaciones en las que exista mucha tensión. Y, poco a poco, a medida que se vaya dominando, introducirlo en otros momentos, donde sea útil para frenar una respuesta disfuncional o impulsiva.

Tiempo: en torno a los diez o quince minutos diarios.

Procedimiento: tumbado o sentado en una posición cómoda, comenzar a contar un ciclo completo de respiración: inspirar/ espirar. Sin alterar la respiración, sin querer hacerla ni más profunda ni más lenta, comenzar a contar 1, 2, 3, 4 y 5, y volver hacia atrás 5, 4, 3, 2 y 1. Otra vez, de nuevo hacia delante hasta el 6, y de nuevo hacia atrás. Así sucesivamente, hasta llegar al 10. Inspirar invita a la apertura, a sentirla como un «abrirnos al mundo», al presente. Sin embargo, la espiración tiene más vinculación con la relajación, al descanso y al reposo. Hay que tratar de pensar en estas connotaciones conforme se respira.

Si en algún momento, los pensamientos u otras interferencias nos hacen perder la cuenta, comenzar de nuevo desde el principio, sin prisas. Focalizar la atención en la respiración, pero volviendo al foco de atención si ocurren distracciones, tantas veces como sea necesario. Cuanto más se practique, más fácil resultará estar dentro de la respiración, y más intenso será el efecto relajante.

Tras la quietud, ya se puede enhebrar la aguja, ya estaremos preparados para la acción.

Quince minutos pueden ser suficientes para actuar desde la quietud. Aunque en otras ocasiones será necesario más tiempo: veinte, treinta minutos… Lo importante no es el tiempo, sino lograrlo.

Este ejercicio nos ayudará a cultivar la paciencia que nos arrebata la emoción. Cuando estamos emocionados necesitamos actuar en ese mismo instante, no sabemos esperar, no queremos pasar por la desintoxicación de la emoción.

Te animo a que lo pruebes. Resulta tremendamente útil para ti y para tu hijo.

PREPARADOS, LISTOS… ¡ACCIÓN!

Llegó el momento de salir al escenario. De que los focos te iluminen y toda la atención caiga sobre ti. A estas alturas, ya has podido analizar la situación, reflexionar sobre lo que está ocurriendo en este acto de tu vida y has aprendido a relajarte. Estás en plena forma para salir a escena. Al calmar tu emoción te sentirás mas preparado para actuar y mantener una conversación, poner límites o simplemente pensar de forma diferente sobre el problema.

Habitualmente, cuando llegues a este punto, sabrás perfectamente cuál es la mejor manera de proceder.

Conoces a tu hijo mejor que nadie, sabes lo que le gusta y lo que le disgusta, lo que le preocupa, y lo que le anima. Y sin estar secuestrado por la emoción, encontrarás el camino para llegar a él.

Mi hija Carlota, desde que era muy pequeña, ha tenido épocas intermitentes de pesadillas normalmente vinculadas con insectos o bichos que recorren su cuerpo y su cama mientras duerme. Pues bien, cuando esto sucedía, me despertaba gritando desde su cama, medio dormida, medio despierta todavía. Yo me sentaba a su lado, y escuchaba su respiración agitada, trataba de infundirle tranquilidad a través de mi respiración, y le acariciaba el pelo al ritmo que quería que respirase, como lo haría cualquier madre. Mientras, escuchaba el relato de su sueño, la dejaba desahogarse. Después le preguntaba: «¿Quieres que hablemos de las cosas bonitas de la vida?» Ella me decía siempre: «Sí, mamá». Y entonces empezaba a hablarle sobre su propio universo feliz, con empatía: «preciosas faldas de tutú, cachorritos alegres trotando, grandes bolas de helado de chocolate…». Y así permanecía un buen rato hasta que de nuevo se dormía. Funcionaba, se calmaba. No lo podría haber logrado si no hubiese sabido entrar en su universo. Esto parece fácil cuando son pequeños, lo difícil es entrar en su universo cuando crecen y se convierten en adolescentes. Y nos excluyen de una parte de su universo emocional. Ejemplo claro de ello son las famosas placas que ponen en las puertas de su cuarto con mensajes tipo: «Prohibido entrar», «STOP» y similares.

Pero existen cuatro claves infalibles para mí en la comunicación con nuestros hijos.

Escucha activa, de la buena

Escuchar significa «me importas, me interesas, me pongo a tu disposición», es decir, facilita el conocimiento del universo de nuestro hijo. Quizás hayas encontrado mil razones por las que no escuchar a tu hijo: «Ya sé lo que me va a decir», «no tengo tiempo para tonterías», «estoy cansado», «me pone de los nervios»… Pero existen razones de peso para hacerlo:

- Le relajas e impides que se ponga a la defensiva.
- Demuestras que te importa.
- Ofreces valía y autoestima.
- Ayudas a que aprenda a elaborar sus sentimientos.

- Le permites desfogarse.
- Le animas a desarrollar un mejor vocabulario.
- Le conoces mejor, descubres matices, intereses nuevos.
- Le ofreces tu apoyo simplemente al escucharle.
- Le ayudas a que él mismo se escuche y reflexione.
- Fomentas los lazos afectivos.
- Él te buscará más a menudo.

Seguro que tú puedes completar esta lista con muchas razones más. No obstante, si no escuchamos a nuestros hijos es por la falta de hábito, porque la emoción nos arrastra, porque no tenemos paciencia y a la primera de cambio explotamos o le interrumpimos. Así que no prestamos atención a lo que verdaderamente hay detrás de sus palabras y de sus gestos. Intenta observarte. Date cuenta de cuánto te cuesta escuchar de forma auténtica y proponte esos momentos como ejercicio práctico.

La escucha activa es la habilidad para dejar de prestarnos atención a nosotros mismos, a nuestros pensamientos, y comenzar a escuchar al otro. Se trata de investigar, profundizar en la percepción que del mundo tiene nuestro hijo, su forma de vivir lo que nos cuenta, sin juicios previos para recoger información, para conocerle, y así ayudarnos a afinar mucho más nuestra respuesta. Pero hagámoslo no solo en momentos de conflicto, sino también en los relajados, en los positivos, cotidianos y diarios. De este modo, el día que asome un conflicto en casa, o se produzca una situación difícil, tu hijo y tú tendréis el hábito y el entrenamiento de escucharos, por lo que será mucho mas fácil el entendimiento.

Los principales enemigos para este nuevo hábito, son: la interrupción, la elaboración mental de una respuesta al mismo tiempo que se escucha, los movimientos negativos con la cabeza, indicar desaprobación, resoplar, levantar la ceja, o simplemente estar haciendo otra cosa a la vez. Para practicarlo adecuadamente, el cuerpo se debe dirigir hacia el otro, tratando de abandonar cualquier otra tarea que se esté realizando. Es necesario aparcar otros pensamientos fuera de la conversación, a no ser que esa ocupación sirva para rebajar peso al diálogo. Es muy conveniente que nuestro rostro sea sereno, receptivo, y muestre curiosidad e interés por lo que se nos está comunicando. Podemos acompañarlo con señales verbales y no verbales de que estamos con él, que le estamos escuchando: «Ajá», «entiendo», «comprendo». Si escuchas de verdad, tu hijo lo notará. Recibe el sentir de tu hijo, acéptalo, sea lo que sea. Si escuchas de forma abierta y relajada, serás agua para su enfado. Al final el incendio se apagará y ahí llegará tu momento de intervenir. Si por el contrario, es tu enfado el que se enciende, debes saber que tu ira no le va a cambiar; ¿alguna vez te funcionó? Muy al contrario, te alejará de él y le encerrará en sí mismo.

Cuando expresas ira, no le ayudas ni educas, te estás desahogando tú.

El siguiente paso es dejar de juzgarle. Tal y como se cierra una ostra por las turbulencias del mar o los movimientos bruscos, así se cerrará tu hijo si antes de hacer una verdadera escucha, le juzgas, rechazas o interrumpes. Enséñale a abrirse, ayúdale a mostrarse, acepta lo que piensa, lo que es, y le estarás enseñando un modelo de conducta a imitar. Los adolescentes que acuden a mí suelen transmitirme algo que me satisface enormemente: sienten que les escucho. Sé que al principio les sorprende, porque quizás nadie lo había hecho antes de verdad, sin miedo, sin enfado, sin hipotecas. Solo escuchar. Pero qué gran llave para profundizar en su universo.

Empatía, pero de verdad

La empatía es la segunda herramienta con la que puedes contar para la comunicación con tu hijo. Pero la empatía es mucho más que ponernos en el lugar del otro. Se trata de que puedas vaciarte de ti para llenarte de él. Imaginemos que queremos ayudar a un amigo que está escalando una gran montaña. Abajo no es un buen lugar para ayudarle, ya que no tienes una visión muy clara de su posición. Y piensas que, quizás, si subes, desde la cima puedas verlo todo mejor. Pero al llegar allí y asomarte sigues demasiado alejado de él, y tampoco consigues tener una visión realista de lo que tiene que hacer ni puedes aconsejarle. Finalmente, decides cambiar la estrategia: frente a esta montaña, apenas unos metros atrás, hay otra de igual tamaño, así que subes a ella y te colocas más o menos a la misma altura que tu amigo. Al llegar, te das cuenta que desde ese lugar la visión es perfecta. Puedes observar su situación sin obstáculos y, de esta forma, disponer de la información completa para ayudarle.

Estar en la montaña de enfrente supone no contaminarnos con las emociones de nuestros hijos. Significa estar serenos ante su intranquilidad, calmados ante su ira, abiertos ante su cerrazón. Y, además, estar a la misma altura, ni por encima ni por debajo. Ver lo que él ve. Entender más allá de las palabras qué siente y qué intenta transmitirnos. Otra cosa hará nuestra empatía infructuosa.

Preguntar, interesarme realmente

Si escuchamos activamente y empatizamos con su visión, seguro que observaremos que la siguiente herramienta aparece casi sola: preguntar e interesarnos. Esta estrategia nos ayuda a manifestar interés por él. Y cuando digo preguntar no me refiero a cuestiones como: «¿Hijo, qué tal ha ido el día?». Hablo de hacerlo sobre cosas concretas, que sean de su interés, que nos permitan conocer su opinión, valorar qué decisiones ha tomado ante sus encrucijadas o investigar cómo hizo o actuó para superar, afrontar o mejorar en áreas de su vida.

Cada cuestión tiene detrás una intención. No investiguemos siempre con el propósito de controlar, para asegurarnos de que está en el camino correcto o que se ha acordado de sacar la basura o pasear al perro. Realiza también preguntas que impliquen admiración: «Hijo, ¿cómo te has sentido cuando...?». Respeto: «Cariño, ¿cómo crees que podría enfocar esto?». Verdadero interés: «¿Tú a quién votarías?». O afecto: «¿Te acuerdas cuando de pequeño cogiste...?». Cuestiones que impliquen reconocimiento: «Cuéntame cómo has logrado...». Tras cada una hay un momento de escucha genuina, de apertura a su universo, indispensable para convertirte en un verdadero experto en él, en un padre 4.0.

Fomentar la autonomía en la solución de sus problemas

La cuarta herramienta que te ofrezco tiene que ver con fomentar autonomía y seguridad en las tomas de decisiones. Acompañarle en la acción, en lugar de darle la solución o dejarle totalmente solo ante ella.

Los adolescentes confunden frecuentemente ser autosuficiente con ser autónomo, a lo que añadiría otro concepto: ser dependiente.

Autosuficiente / Autónomo / Dependiente

Tres conceptos distintos con consecuencias dispares. El hijo autónomo es el más equilibrado de los tres. No obstante, es raro tener un hijo que sea un estilo puro. Lo normal es que aparezca la mezcla de los tres estilos, o al menos de dos. El objetivo sería reforzar aquellas áreas en las que no se sienta autónomo. Para ello, todos los pasos anteriores nos van a resultar de gran ayuda.

El adolescente autónomo toma sus propias decisiones. Esto le ayuda a aprender de sus propios errores, responsabilizándose de las consecuencias que de estos se derivan. Son jóvenes que tienden a encontrar el camino para llevar a cabo aquella alternativa por la que han optado, apoyándose en sus padres o amigos, pero sin delegar en otras personas.

Por el contrario, los chicos autosuficientes creen que no necesitan nada, pero, sobre todo, a nadie, para lograr sus objetivos. Gran error. Como seres sociales y gregarios, necesitamos de una manada para avanzar, superarnos y crecer. Probablemente, si tu hijo se cree autosuficiente, tu labor como padre se complicará con frecuencia por su falta de apertura. En estos casos es más importante que nunca la escucha activa, la empatía y las preguntas.

Jorge es uno de mis últimos pacientes. Tiene diecinueve años y ha llegado hasta mí por su cuenta. Él se lo propuso a sus padres y estos le apoyaron. Se sentía perdido y algo confuso respecto a su futuro. Tras unas cuantas sesiones, fui tomando conciencia de su tendencia a mostrarme que todo aquello que le contaba, él ya lo sabía antes. Daba igual de lo que hablásemos; él ya lo sabía. Cuando estas cosas pasan, se despierta en mí una gran ternura y, creedme, sucede con cierta frecuencia. Tal y como le ocurría a Jorge, muchos jóvenes se sienten mal cuando tienen que reconocer que no saben algo, que a veces se encuentran dolidos o perdidos. Los niños autosuficientes suelen esconder inseguridad y un gran temor a aparecer como fracasados ante los demás. Su interés por demostrar que todo lo saben esconde ese punto débil, el miedo a la desaprobación, a que los demás piensen que es tonto. Es mejor centrarnos en ayudarles en ese aspecto que empeñarnos en demostrarles que se equivocan, ya que en ese punto se pondrían a la defensiva para, finalmente, dar por terminada la conversación.

Para terminar, podemos afirmar que la dependencia define a jóvenes que no toman decisiones por sí mismos. Bien porque no se atreven, bien porque sus padres no se lo permiten. Son niños con dificultad seria para asumir responsabilidades, puesto que ellos no sienten el peso de una decisión que, para empezar, no ha sido tomada por ellos. Con el tiempo van creando una actitud de bloqueo en la solución de problemas, apoyándose siempre en otros para alcanzar las metas.

Trabajemos para fomentar niños que sean a la vez autónomos, capaces de tomar sus propias decisiones, pero también de pedir ayuda.

En el siguiente cuadro aparecen ejemplos de cómo actuar en algunas situaciones concretas.

INFORMACIÓN TRANSMITIDA POR EL HIJO	RESPUESTA PATERNA QUE FOMENTA EL DESARROLLO EMOCIONAL	RESPUESTA PATERNA QUE LIMITA EL DESARROLLO EMOCIONAL
«Mamá, Javier me dice siempre en el instituto que soy un memo».	«Y tú, ¿qué piensas? ¿En qué se basa? ¿Cómo actuaste cuando te lo dijo? ¿Qué podrías hacer si te ocurre otra vez?».	«Él sí que es un memo, no le hagas caso, lo que tiene es envidia. Vete con otros amigos. Como venga a casa, le voy a decir cuatro cosas».
«Papá, es que mis amigos se quedan despiertos hasta la una de la mañana entre semana».	«¿Por qué crees que en casa no tenemos ese horario? ¿Cómo te encuentras cuando no duermes lo suficiente? ¿Qué crees que puedes hacer a esas horas que no hayas hecho antes, o que no puedas hacer el fin de semana?».	«Mira, hijo, para mí sería mucho más fácil dejarte hasta la hora que quisieras, pero lo hago por tu bien. Si no, mañana estarás muy cansado. Además, a esas horas ya no hay nada provechoso que puedas hacer».
«Mamá, todas mis amigas se compran mucha más ropa que yo. María todas las semanas se compra algo».	«¿Por qué crees que lo hacen? ¿Crees que es bueno comprarse todo lo que uno quiere? ¿Qué educación te estaríamos dando?».	«Eso lo hacen porque así se creen mejores. Nosotros no podemos comprarte tanta ropa y, si lo hiciésemos, te estaríamos inculcando unos valores muy superficiales».

MI COMPAÑERA DE VIAJE: LA PREOCUPACIÓN

¿Alguna vez tras un conflicto con tu hijo has sentido que no podías dejar de pensar en ello de forma obsesiva, incluso te ha impedido dormir bien?, ¿o, tras una conversación tensa, has terminado explotando por algo sin importancia, porque estabas al límite? ¿Cuántas veces te has sentido incapaz de cambiar de tema, o cerrar una conversación porque te parece increíble que tu hijo haya dicho o hecho algo en particular?

Las emociones duran poco; aproximadamente noventa segundos, ¡quién lo diría! El resto responde a nuestra manera de aferrarnos a ellas, de no dejarlas correr, de no pasar página, y eso hace que se mantengan vivas. La preocupación es una experta en extender nuestras emociones en el tiempo, en multiplicar su duración. La «pre-ocupación» es la antesala de la ocupación, antes de ocuparnos, y nos lleva directamente a tener nuestra mente o bien en el pasado o bien en el futuro, impidiéndonos estar en el presente, donde discurre la vida y único espacio donde encontrar la oportunidad de desconectar del pasado.

La preocupación es pensamiento. Y el pensamiento no es realidad.

Tus pensamientos indican tu manera de reflexionar sobre la vida, de interpretar los acontecimientos, pero no son la realidad. Cuando creemos que lo que estamos pensando es la realidad, estamos sumergidos en la identificación con nuestros pensamientos. Pero lo cierto es que un mismo acontecimiento puede interpretarse de multitud de maneras. Una rosa roja, preciosa y fresca, será observada de diferente manera según quién la mire. La puede ver un jardinero, o un artista, o un niño o un decorador. Cada uno apreciará algo diferente en el mismo objeto: la rosa. De igual modo, nuestros pensamientos, nuestra forma de percibir es solo una entre muchas opciones.

Te invito a que hagas conmigo el siguiente experimento. Allí donde te encuentres ahora mismo, trata de visualizar en la cabeza de cualquier persona que tengas cerca un enorme arco iris. Cuando lo hayas logrado, responde a las siguientes preguntas: ¿lo puedes ver?, ¿lo puedes tocar?, ¿el arco iris existe realmente, es decir, está encima de la cabeza de esa persona o simplemente está en tu mente, en tu imaginación? Del mismo modo tus anticipaciones de futuro, tu preocupación y el contenido de esta, solo están en tu cabeza, no existen, no son reales. Pero te generan emociones intensas, y casi siempre de índole negativa. A veces nos creemos tanto aquello que imaginamos, que actuamos y sentimos como si realmente fuese un hecho real. No somos pitonisas, no tenemos la capacidad para adivinar el futuro, pero a veces lo creemos de forma rotunda.

COMIENZA A VIVIR EL PRESENTE

Cuando te preocupas, tu pensamiento tiende a construir cuatro formas de percibir los acontecimientos que te alejan de la realidad, y te generan ansiedad a la hora de enfrentarte a esas cuestiones especialmente problemáticas o difíciles en tu camino como padre. La primera de ellas es el famoso «¿Y si...?». Sobreestimamos la probabilidad de que ocurra algo negativo. No lo estimamos, lo sobreestimamos, lo que nos lleva a realizar planteamientos de este tipo: «¿Y si suspende todas las asignaturas...?», «¿y si se pasa la vida sin superar esto...?», «¿y si le pasa algo?». Ni que decir tiene que en el fondo no estamos haciendo preguntas, realmente para nosotros esas preguntas funcionan como afirmaciones, es decir: «Va a suspender todo», «no lo va a superar», «le va a pasar algo malo», etc.

Cuando anticipamos una situación final o un desenlace no solemos proyectar opciones positivas o al menos, si lo hacemos, no tenemos confianza en ellas. Confiamos mucho más en las opciones negativas, así funciona nuestra mente; siempre alerta ante las amenazas. Sin embargo, no tendemos a pensar: «¿Y si poco a poco, conforme crezca, entiende que su actitud no es la correcta?», «¿y si consigue mejorar en la forma de expresar sus opiniones y llegar a ser un niño elocuente y respetuoso?», «¿y si el día de mañana tiene una relación estupenda con su hermano?». Esto no suele tener cabida en nuestros pensamientos, aunque lo cierto es que en la vida cotidiana sucede de forma mucho más frecuente de lo que queremos reconocer.

Si reflexionamos sobre ello concluiremos que, en nuestro pasado como padres, probablemente hemos estado construyendo esos «¿Y si?» desde la cuna. «¿Y si se cae?», «¿y si sus amigos no le aceptan?», «¿y si...?».

Pero de todos ellos, ¿cuáles ocurrieron realmente?, ¿qué porcentaje de todos ellos quedaron simplemente en un pensamiento sin convertirse en realidad? Piénsalo unos minutos. Probablemente solo un uno por ciento de ellos llegaron a ser realidad. Pero no importa, porque aunque el noventa y nueve por ciento restante no sucediesen, tú sentiste dolor, angustia, miedo o malestar por el simple hecho de pensarlo. Y total, ¿para qué?

Este instinto de tendencia negativa es normal. Nos ocurre a todos los padres. La solución sería identificarlo para no dejarnos llevar por él, para no dejarnos secuestrar por ese uno por ciento y tratar de abrirnos, mirar hacia el noventa y nueve por ciento restante que, aunque las estadísticas nos dicen que es más probable, nuestra emoción no.

La preocupación no te ayuda a percibir la realidad, solo proyecta tus miedos. Esto no te acerca a lo que realmente ocurre, sino que te ubica en un escenario erróneo porque te mantiene rumiando sin tregua aquello que te preocupa. Trata de imaginar lo siguiente: una chica que tiene una gran inseguridad en su figura se pone unos vaqueros nuevos. Cuando su amiga la ve, le dice: «Oye, esos vaqueros… ¿son nuevos?». Automáticamente la chica piensa: «No le gustan, seguro que opina que no me quedan bien». Ahora, imagina un hombre que tiene que hacer una presentación en público y la situación le genera una gran ansiedad. Mientras está realizando la presentación, un asistente comienza a bostezar. El hombre le ve y piensa: «Ves, soy un aburrido, no entretengo». Lo cierto es que en ambos casos el protagonista está suponiendo algo de lo que no posee datos objetivos. La amiga puede haber hecho este comentario simplemente porque no recordaba aquellos vaqueros; así como el asistente puede tener cien motivos distintos para bostezar. Pero ambos protagonistas lo que hacen es proyectar sus miedos, creyendo firmemente en que sus pensamientos están interpretando la realidad. Son de los que creen que el arco iris sobre la cabeza del de al lado es real. Pero lo cierto es que sus miedos les llevan a alejarse de la objetividad de la situación, lo mismo que nos pasa como padres en numerosas ocasiones.

Por este motivo, te animo a que, cuando te sobrevenga un «¿Y si?», vinculado a tus miedos más que a datos objetivos, pienses: «Cuando llegue a ese puente, ya lo cruzaré». Es la única forma de evitar andar cruzando permanentemente puentes imaginarios que nunca llegan, manteniéndonos en un estado de ansiedad y angustia en nuestro proceso educativo como padres.

Por otro lado, soy consciente de que vivir siempre en ese «cuando llegue a ese puente, ya lo cruzaré», puede suscitar ansiedad en los padres en general. Pensar que pueda ser demasiado tarde para actuar cuando las cosas ocurran, que si no prevemos el futuro, todo se irá al garete. Pero lo cierto es que la preocupación no resuelve nada. Y, además, ¿tan terrible es que a veces nuestros hijos se estrellen?, ¿que les duela algo?, ¿que comprueben sus equivocaciones?, ¿que sean imperfectos, porque todavía están en el «horno»?

SOS: Ponernos en lo peor

Este es el segundo de los pensamientos que nos genera preocupación en la educación de nuestros hijos. Se trata de sobreestimar las consecuencias negativas en el caso de que ocurra aquello que tememos.

No solo elaboramos un «¿Y si?», proyectando nuestros miedos e inseguridades, sino que, además, sobreestimamos las consecuencias negativas en el caso de que finalmente ocurran. Puedes pensar que las consecuencias de que tu hijo suspenda es que se va a convertir en un fracasado; si miente será un embustero; si se aleja de ti, le acabarás perdiendo; y si tu hijo se aísla de la dinámica familiar porque pasa más tiempo fuera que dentro de casa, va a terminar perdiendo el sentimiento de familia.

Pero también puedes pensar que es parte de su crecimiento, que es parte de su «darse cuenta», y que puedes poner los límites y las normas, que consideres oportuno como padre, para que tu hijo lo entienda.

La vida nos da muchas oportunidades antes de estrellarnos. La clave está en la acción serena y no en la reacción asustada. En actuar de acuerdo a lo que existe hoy, no conforme a lo que imagino que puede llegar a ocurrir. Recuerda que la mejor manera de ocuparnos del futuro de nuestros hijos es no descuidando el presente.

No es lo mismo actuar para que un hijo apruebe aquellas asignaturas que ha suspendido, que actuar para que no termine siendo un fracasado. La emoción desde la que nace la acción nos da o nos roba la tranquilidad con la que actuaremos como padres.

No dramaticemos. «Están en el horno», deben equivocarse.

TÚ PUEDES CON ESO Y MÁS. ¡Y YO TAMBIÉN!

«Infravalorar mis recursos personales para ayudar a mi hijo».

«Infravalorar los recursos personales de mi hijo para salir adelante».

Estas son las dos últimas percepciones de la realidad erróneas que constituyen tu preocupación. Y que se manifiestan como una cascada de «Y si...». Pero antes de entrar a fondo en ellos, te voy a explicar algo muy curioso sobre el árbol del bambú.

El bambú es una planta muy interesante. Es el árbol de mayor crecimiento de todo el planeta: algunos tipos de bambú que pueden llegar a crecer hasta treinta y dos metros al mes. Aguanta condiciones de sol intenso y de frío extremo. Sin embargo, si no conoces cómo crece, puede hacerte desesperar.

Cuando siembras una semilla de bambú en tu jardín puedes estar días y días, meses y meses regándola sin que aparezca ni un solo brote. Al principio podrás dudar de si la tierra es buena para la planta, si está bien abonada o le falta algún nutriente; dudar de que el clima quizás no sea el adecuado para él; o dudar de que quizás seas tú, o el propio bambú que has plantado, que no es el adecuado o esté defectuoso. Pero lo cierto es que el bambú es una planta realmente sabia. Una planta que no brota hasta pasados siete años desde su siembra. ¡Siete años! La razón es que, durante ese tiempo, el árbol crece hacia dentro de la tierra, crea una red profunda de raíces que se extienden por el suelo para darle una gran solvencia y resistencia. Por lo que, cuando brota hacia el exterior, es realmente resistente y está preparada para soportar cualquier temporal. Arranca un bambú y probablemente renacerá por otro lado. Está perfectamente preparado para la adversidad.

Eso mismo ocurre con nuestros hijos.

Tus pautas funcionan, siempre que sean tranquilas, coherentes, claras y constantes. No desconfíes de ellas porque todavía no veas los resultados, ya que pueden tardar en llegar, a veces años, pero, créeme, si sembramos una educación consciente, calmada y coherente, los resultados llegarán. Si tu hijo vive en un entorno estable, respetuoso, sereno, cálido, en el que se sienta querido, tu hijo brotará. Puede que tarde, pero brotará.

Nuestros hijos tienen muchas más herramientas para afrontar la adversidad de lo que nos creemos, pero para que superen las dificultades tenemos que brindarles la oportunidad de vivirlas, experimentarlas y confiar en que vayan aprendiendo las fórmulas para solventarlas.

Si tu confías, él confía. Pero sin fingir porque nuestros hijos son muy hábiles para detectar la farsa. Eres su gran espejo, no lo olvides.

Recuerda:

- Tu hijo escuchará con más atención los mensajes apasionados y positivos que los mensajes cargados de reproches o críticas.
- Acompáñale en todas sus emociones, positivas y/o negativas. Déjale con ellas, permíteselas. Debe digerirlas. Tú puedes asumir el papel de acompañante, nunca de solucionador.
- De todas las situaciones, ya sean aburridas o divertidas, alegres o tristes, hay algo que aprender.
- Habrá emociones que tu hijo no expresará hasta hacer crecer su autoestima. Es normal. Trabaja la autoestima y esas emociones brotarán.
- Todas las emociones tienen una forma sana de ser afrontadas y una forma destructiva; identifica qué estilo de afrontamiento es el tuyo y cuál el de tu hijo.
- No confundas nunca la emoción con tu hijo, él es mucho más que la primera, y está oculto tras ella.

- Nuestro cerebro nos orienta siempre hacia lo negativo. Identifícalo y no te dejes arrastrar.
- Reconoce tu estado emocional antes de actuar.
- Dedícate un tiempo a calmar y aquietar. Puedes utilizar el ciclo de respiraciones.
- Practica la verdadera escucha activa en la familia.
- La empatía es la herramienta más poderosa para la comprensión. Aplica las claves descritas para su utilización.
- Las preguntas esconden muchas intenciones. Averigua qué preguntas despiertan interés en tu hijo.
- Fomenta una actitud autónoma en tu hijo, frente a la actitud autosuficiente o dependiente.
- Vence a la preocupación con los cuatro pensamientos descritos.
- Deja de creerte todo lo que tu mente anticipa. Cuando llegues a ese puente, ya lo cruzarás.

La película recomendada es *La casa de mi vida,* del director Irwin Winkler.

3
¿CÓMO SE TRATA A SÍ MISMO?

Ni las victorias de los juegos olímpicos ni las que se alcanzan en batallas hacen al hombre feliz. Las únicas que le hacen dichoso son las que consigue sobre sí mismo.

EPICTETO

UN TERMÓMETRO QUE MIDE LA AUTOESTIMA

La autoestima siempre ha ocupado un enorme interés en la psicología. En el buscador de Google, con solo escribir «autoestima» nos salen dieciocho millones de resultados, curiosamente menos que para la palabra «felicidad», que ofrece la friolera de cincuenta y cuatro millones de entradas. No obstante, su conquista nos garantiza una vida mucho más feliz. El reto es llegar a conquistarla.

Como psicóloga y experta en el trabajo emocional con adolescentes, me atrevería a decir que, al menos, el noventa por ciento de los problemas que llegan a mi despacho tienen una estrecha vinculación con la autoestima. El nivel de autoestima de un adolescente es el termómetro para predecir su adaptación a futuras responsabilidades y su bienestar emocional. La falta de estima hacia uno mismo es ingrediente fundamental de infinidad de dificultades que se gestan en un niño, hasta llegar a la edad adulta: fracaso escolar, problemas de timidez, de ira, de ansiedad, de miedos, etc.

Desde que nuestro hijo nace, está forjando su autoestima. En esta primera etapa, dado lo limitado de sus recursos, su autoestima se alimentará de un entorno seguro, estable y cálido. Un ambiente donde se sienta querido y cuidado, atendido y estimulado. Sin embargo, y conforme el niño crece, la cosa comienza a complicarse. El niño se mueve en un entorno más exigente, donde poco a poco debe ir dejando atrás la dependencia de los padres y salir al mundo en solitario, a librar sus propias batallas y a cosechar sus propios éxitos.

La autoestima es el cariño, el respeto y la confianza que uno se profesa a sí mismo. No obstante, en más ocasiones de las deseables, nuestros hijos son demasiado duros consigo mismos a la hora de evaluarse. En otras, piensan que si conquistan la aprobación de sus amigos, mejorará su propia valoración. ¿Qué pasa entonces con su autoestima? Lo que ocurre es que no está bien sembrada, no es sólida, no ha tejido esa complicada red bajo la tierra como lo hace el bambú con sus raíces. Ese arbolito, que es nuestro hijo, no tiene raíces profundas en las que asentarse. Los expertos recomendamos que los adolescentes lleguen a esta etapa de su vida con los deberes hechos en lo que respecta a esta materia. Sin embargo, si tu hijo no presenta todavía esa estabilidad, no te preocupes, les ocurre a muchos jóvenes y, en cuestión de emociones, siempre estamos a tiempo de fomentar esa deseada autoestima que le permita ser un joven solvente a la hora de enfrentarse a la vida.

Jorge Bucay definió la autoestima a través de tres conceptos: cuidarse, protegerse y premiarse. Cuando estos tres conceptos no están bien afirmados en nuestro hijo, van a aparecer problemas de índole emocional tarde o temprano. De ahí que dedicar todo un capítulo a la autoestima sea tan importante.

Saber si están o no enraizadas estas tres premisas supone un excelente termómetro para medir el nivel de autoestima de tu hijo. Ahora, vamos a tomarle la temperatura.

Cuando hablamos de la «capacidad de cuidarse» nos estamos refiriendo a adolescentes que saben lo importante que es cuidar su cuerpo, su salud, su descanso. Hace poco, durante una conversación con mis hijos, la pequeña decía: «Mi cuerpo es mío y hago con él lo que quiero». Y yo contesté: «¿Quién te ha dicho tal cosa?, ¿realmente crees que tu cuerpo es tuyo?, ¿por qué, entonces, a veces se pone enfermo contra tu voluntad? Y, si es tuyo, ¿no crees que deberías poder controlarlo? Continué explicando: «El cuerpo, cariño, es naturaleza. No es tuyo, ni mío..., es un préstamo de la naturaleza. Cuando morimos se lo devolvemos de nuevo». Mi hija, al igual que otros muchos niños, ama la naturaleza y respeta aquello que le prestan los demás más incluso que lo suyo propio. Yo sabía que ambos factores jugaban a favor de su propio lenguaje, de su propio universo, para ayudarle a entender la importancia de cuidarlo.

Cuidarse es respetarse. Es darse importancia. Y todos los padres queremos que nuestros hijos lo hagan, tal y como lo ven en nosotros, sus padres.

Lucía está en plena adolescencia. Durante el final de su infancia ha traído de cabeza a sus padres por sus malas notas. Pero en la universidad todo cambió. Comenzó a estudiar aquello que le gustaba y a involucrarse como nunca en sus nuevas tareas. Tanto es así, que pasamos de trabajar su hasta entonces escasa responsabilidad con los estudios, a hablar sobre la importancia de mantener un equilibrio en la vida y respetar tiempos de descanso y de desconexión. La madre de Lucía era una incansable trabajadora. Sus hábitos de vida la llevaban a comer mal y rápido, a descansar poco y a ser rehén de un permanente estrés. A pesar de disfrutar mucho con su trabajo como arquitecta, en casa solía mostrarse irritable al final de cada día. Lo cierto es que cuando Lucía encontró lo que realmente le motivaba, comenzó a trabajar con el mismo ahínco con el que lo hacía su madre. Horas y horas descuidando a veces los periodos de sueño y la calidad de los tiempos para la comida. Los padres estaban sorprendidos, especialmente la madre, con quien hasta ese momento no había tenido buena relación. Simplemente, Lucía tenía como espejo la manera de cuidarse de su madre, y cuando creció lo copió.

Cuídate, tal y como cuidarías a alguien a quien quieres con locura, y tu hijo aprenderá a hacerlo a través de tus hábitos, a través de tu vida. El cuidado de uno mismo es algo muy aprendido. Pretendemos que nuestro hijo cuide su alimentación cuando nosotros comemos cualquier cosa cuando estamos cansados. Queremos que no tenga una vida sedentaria, pero no hay hábito deportivo en casa. Deseamos que se entusiasme y se implique en el estudio, pero despotricamos a diario cuando volvemos de trabajar. Y en el hipotético caso de que algún padre me confiese: «Yo sí hago deporte y me cuido, y estoy feliz en mi trabajo, pero él de todo esto, nada», yo le respondo: «Entonces, tranquilo, tarde o temprano lo hará. Es lo que ha visto, es lo que ha observado. Pronto brotará».

El poder del aprendizaje por observación es gigantesco, más allá de nuestra propia voluntad. De ahí esa maravillosa frase que dice: «No te preocupes tanto por lo que les dices a tus hijos, preocúpate más por lo que ven». Cuidarse es clave para sentir respeto hacia uno mismo, ingrediente fundamental de la autoestima.

Enseñar a nuestros hijos a protegerse también es clave. Cada persona tiene la necesidad de aprender a protegerse de lo que le hace daño y de quien le hace daño. Implica asertividad, es decir, la capacidad para defender sus derechos personales frente a abusos o daños a su persona. Este aprendizaje, muchas veces, llega después de haber tropezado, haber elegido mal y haberse expuesto a situaciones que le han hecho daño. Por lo tanto, es natural que en muchas ocasiones nuestro hijo resulte herido. No te asustes. No obstante, nosotros podremos actuar como guía para ayudarles a reflexionar sobre el significado de «protegerse». Recordemos que actuar como guía de un adolescente no es decirle lo que tiene que hacer, sino más bien orientarle para que él mismo descubra el significado de su propia protección.

La capacidad para premiarse es el tercero de los criterios para descifrar lo que marca el termómetro de la autoestima en tu hijo. Reconocer sus éxitos, sus logros y sentirse satisfecho y orgulloso de ellos es un buen indicador de autoestima. Pero, cuidado, a veces nuestros hijos pueden hacer trampas. Hay ocasiones en las que pueden aparentar un exceso de autoestima, son demasiado positivos con sus éxitos, incluso a veces exageran sus resultados, o inventan incluso logros ficticios. En este caso, más que de una sana autoestima estaríamos hablando de lo contrario: inseguridad. Por eso el adolescente trata de proyectar una imagen más positiva de la que realmente tiene de sí mismo. Es muy característico, en estos casos, que también percibamos en nuestro hijo una obstinada dificultad para encajar las críticas, haciendo oídos sordos o colocándose a la defensiva. Otras veces, tu hijo parece estar más orientado a conseguir la meta, el premio o el reconocimiento, que el disfrute que aporta la realización de la propia tarea o actividad. E incluso, aunque consiga alcanzar ese reconocimiento externo, el premio, en la adolescencia, es lo más importante. No obstante, es fundamental que tu hijo vaya adquiriendo una motivación intrínseca, es decir, satisfacción por el desarrollo de la tarea, por la forma en que la vive y por el esfuerzo que pone en ella, más que por el premio o reconocimiento externo que reciba de ella. Este reto cambiará drásticamente la forma en que él mismo se involucrará en sus proyectos. La motivación extrínseca, orientada al reconocimiento, es más frecuente en niños inmaduros. Por último, nos encontraríamos con aquellos niños que no reconocen sus éxitos, que parecen tener siempre la atención puesta en lo que hicieron mal, en lo que les quedó pendiente o en aquello en lo que recibieron una crítica. Se trata de niños muy exigentes con una pobre autoestima, puesto que nunca nada es suficiente para ellos. Como es lógico, ningún extremo es bueno.

No obstante, una sana capacidad de premiarse es aquella que viven los hijos cuando son capaces de reconocerse en el esfuerzo, el compromiso y la dedicación que han puesto en su trabajo, cuando saben identificar el bienestar que les genera superarse en las dificultades, aunque a veces eso conlleve fallar. Es aquella que tu hijo siente cuando ha afrontado un reto en el que siente que algo ha mejorado. La mejor competición es la que establecemos con nosotros mismos, no comparándonos con los demás sino mejorando nuestras propias marcas. Los padres han de esforzarse en alabar a los hijos cuando su empeño ha sido evidente o cuando la perseverancia y la tenacidad han constituido las herramientas del éxito. Esto le ayudará a interiorizarlo y a relacionarse también consigo mismo de esta manera.

Estos tres niveles te pueden dar una pista sobre el nivel de autoestima actual de tu hijo y los campos en que necesita refuerzo, porque, como ya hemos dicho, la autoestima es clave para su desarrollo, además del mejor factor de protección en el futuro. Para conseguirlo, te animo a que, desde hoy, comiences a cocinar la siguiente receta:

- Fomentar la felicidad genuina *versus* la felicidad hedonista.
- Alimentar la excelencia frente a la exigencia.
- Promover el diálogo interior, que le convierta en su propio *coach* motivacional.
- Ayudarle a valorar sus éxitos y fracasos.

Su sabor, una vez alcanzado, es inmejorable.

EL CAMINO DE LA VERDADERA FELICIDAD

Para que tu hijo ame algo tiene que valorarlo. Y el valor que le confiere debe ser proporcional a la satisfacción que obtiene al alcanzarlo.

En contraposición a lo que diariamente vemos en nuestra sociedad actual, donde a los niños cada vez les resulta más fácil conseguir lo que desean y no necesitan hacer nada especial para estar rodeados de caprichos, nosotros colocaremos la persecución de la verdadera felicidad. Por otra parte, la satisfacción real que sienten los padres es la que proporciona otorgar a los hijos todo cuanto piden. De esta manera, los niños experimentan solo una felicidad hedonista y temporal que se deriva del placer de tener algo nuevo, pero ahí no radica la verdadera felicidad. No es esta la felicidad que fomenta la auténtica autoestima.

La felicidad hedonista aporta un placer que se esfuma en poco tiempo, dejando en nuestros hijos de nuevo una gran sed de poseer más. Este círculo vicioso es difícil de romper. Ellos cada vez quieren más, y nosotros tratamos obsesivamente de calmar su sed insaciable que parece no agotarse nunca, a golpe de «tener». Y los padres perpetuarán su satisfacción siendo los conseguidores de sus hijos, gracias a sus esfuerzos laborales y su éxito personal. De locos.

A medio plazo esta situación llevará a los padres a la confusión: «Pero si le doy todo lo que quiere...». Y se sentirán descontentos porque verán a sus hijos como personas caprichosas y egoístas. A su vez, esos niños serán infelices porque no saben que su verdadero valor está en lo que son y no en lo que tienen. Es una pésima receta.

Hace poco tuve una conversación con un padre en la consulta. Dialogábamos sobre la felicidad en la familia cuando me contó una anécdota curiosa. Un día, discutiendo con su hijo mayor, de diecinueve años, le dijo: «¡Tendrás poca vergüenza! Te he dado todo lo que has querido siempre, una bici, todos los juguetes del mundo, ropa, un colegio privado, viajes, todo». A lo que su hijo contestó sin pensarlo: «¡Papá, yo nunca te pedí nada de todo eso!». El hombre me contaba que se quedó plantado delante de su hijo, totalmente desconcertado. Durante nuestra sesión hablamos de ello y de cómo fabricamos nuestras expectativas en función de lo que creemos importante para nuestros hijos, sin pensar si realmente es así también para ellos. Es más, aunque tu hijo declare que lo más importante para él es una consola, créeme, no lo es. Es tan solo un niño que vive en una sociedad cada vez más consumista. Con el tiempo entenderá que son otras cosas las que le aportan la verdadera felicidad. Pero este aprendizaje se adquiere desde la experiencia. Después de mucho reflexionar, este padre se dio cuenta de que su hijo tenía razón; su escasez de tiempo debido a su frenético ritmo de trabajo le hacía buscar sustitutivos para compensar sus ausencias, inundándole de regalos en un intento por comprar su felicidad. Para compensar la sensación de vivir trabajando, al menos sentía que era capaz de ofrecer a su familia una gran vida de comodidades.

Mala receta.

La felicidad hedonista es muy distinta a la felicidad genuina. La primera de ellas es insaciable, siempre necesita más. Siempre está insatisfecha. Solo se beneficia de ella quien la recibe, y nos hace inseguros y temerosos ante la posibilidad de perder lo que poseemos. Nos aísla. Está vinculada al «tener». Si tengo, entonces soy. Bajo esta fórmula el no tener aquello que quiero me hace perder mi identidad frente a mi grupo de referencia, frente a mi pareja, frente al mundo. Mi autoestima está medida por lo que poseo. Por esta razón, el niño pelea y lucha para alcanzar aquello que le permite ser, pero como él quiere mostrarse al mundo. Como padre, puede que te veas identificado en este modelo. Puedes estar transmitiendo a tu hijo de forma inconsciente que la felicidad se encuentra en lo que poseemos, hasta que lo hemos poseído, en lo que compramos, hasta que lo tenemos en casa, y así sucesivamente. Quizás también sea este tu modelo de vida como padre. Este tipo de felicidad aísla y genera mucho sufrimiento, porque: «¿Y si pierdo aquello que tengo, quién seré entonces?, ¿y si mis padres no me compran el último modelo de móvil?, ¿y si no voy a la última?».

La felicidad genuina, por el contrario, nos libera, nos permite compartir, nos conecta y multiplica todo aquello que la alimenta. La felicidad genuina es esencialmente no competitiva. Enseñar a nuestros hijos a reír cuando las cosas se tuercen, fomentarles el cultivo del sentido del humor ante las dificultades nos proporciona una felicidad genuina. Enseñarles a amar de forma plena y generosa, a mantener la templanza ante las adversidades, el valor de los sentimientos. Pero todo ello requiere tiempo para entrenarse y coherencia con nuestro propio modelo de vida como padres. El problema es que vivimos en un mundo de prisas, de urgencias. Es mucho más fácil comprar una bici o una consola que enseñar a reír, a valorar el tiempo de calidad en familia, a compartir un proyecto en equipo.

La felicidad genuina es clave para afianzar la autoestima. Enseña a nuestros hijos a que su verdadero valor está en el «ser». En lo que son, en lo que sienten, en su individualidad, en sus cualidades, mucho más allá de sus pertenencias y propiedades. Te invito a que comiences a practicarlo. Para ellos es medicina, para nosotros una liberación.

CONVERTIR SU EXIGENCIA EN EXCELENCIA

La autoestima siempre puede empezar a cultivarse, sea cual sea la edad que tengamos. Si crees que tu hijo aún no la ha adquirido, no es tarde, siempre podemos empezar por ayudarle en su camino. Cuidarse, protegerse y premiarse son fundamentales, pero hay otros ingredientes que le serán de gran ayuda, como es aprender a gestionar sus propios errores y/o fracasos.

La exigencia es un gran enemigo de la autoestima. En su lugar, debemos enseñar a nuestros hijos a sembrar la excelencia. Son dos conceptos muy diferentes. Mientras que la exigencia llevará a nuestros hijos a sufrir, la excelencia les ayudará a superarse, convirtiéndose en su aliado. Los niños exigentes confunden el resultado con su identidad, es decir, si han fracasado, se sienten como fracasados. Viven su vida como en el colegio, en evaluación continua. Si su último resultado ha sido un suspenso, no importa cuántos aprobados haya obtenido antes, el último suspenso ensombrecerá todo lo positivo anterior.

Recuerdo a Luis, un jugador de baloncesto incansable. Practicaba este deporte de lunes a viernes, y los fines de semana disputaba los partidos. Esos encuentros no los disfrutaba como los entrenamientos. Se presionaba muchísimo, y eso impedía que gozase el hecho de jugar. Si perdía un partido o hacía una mala jugada, se iba a casa con la moral por los suelos, convencido de ser un pésimo jugador. Cuando ganaba o se le daba bien, por el contrario, regresaba a casa contento y satisfecho. Un día, durante la consulta, le dije: «Luis, no puede ser. Es imposible que anteayer te vieras como un pésimo jugador, y seis días atrás te calificaras como un jugador sobresaliente. Ser o no ser un buen jugador no depende de un único resultado, porque, de ser así, nuestra esencia fluctuaría como una montaña rusa: los resultados varían, nuestra naturaleza y lo que somos, no. El compromiso, la constancia y el esfuerzo, sin embargo, pueden ser valores permanentes en tu vida y esas cualidades serán finalmente las que te definirán». A partir de entonces, cuando me hablaba de sus partidos, tratábamos de enfocar el tema a partir de una reflexión sobre las habilidades, el esfuerzo y las actitudes que había desplegado. De esta manera, un objetivo que no se puede controlar como es ganar o perder un partido, pasó a ser una meta fácilmente controlada por Luis: compromiso, actitud y esfuerzo.

El niño exigente ve una competición en cada examen, y lo vive con ansiedad y angustia porque, «¿y si suspende?, ¿en quién se convertirá?». Hay que ayudarle a descubrir la falsedad de la premisa. Los resultados son efímeros, temporales, lo que realmente nos define es un conjunto de conductas, desde luego, nunca una única o aislada. Y, por supuesto, tan importante es reflexionar cuando las cosas no salen como uno desea, como hablar, disfrutar y recordar nuestros éxitos y logros. Pero no como resultados únicamente, sino en las personas que nos convertimos por el hecho de luchar por ellos hasta lograrlos. Por lo tanto, si tu hijo es exigente, anímale a:

- No valorarse a través de los resultados, sino por su nivel de compromiso en el proceso.
- Encontrar equilibrio entre el dar de sí mismo a la hora de afrontar retos, y recibir de lo que hace, es decir, estar atento a la manera en que esa tarea o actividad le puede hacer disfrutar.
- No identificarse con el fracaso, no temerlo. El fracaso puede cambiarse con una buena actitud y un mayor compromiso. Estos niños sienten un gran temor a decepcionar a los demás. Todos los seres humanos, en algún momento de su vida, fracasan. Pero el fracaso es como respirar. Nadie se va a decepcionar por el hecho de que respires, ya que es algo totalmente natural, forma parte del hecho de «ser humanos».
- Aprender a celebrar los éxitos y a integrarlos en la autoestima. Si tu hijo es exigente, va a olvidar rápidamente sus logros, su mente se focalizará mucho más en sus fracasos. Que incorpores tú los recuerdos positivos en las conversaciones normales y de una forma natural, le ayudará a no olvidarlos.
- Hacer las cosas por su propia satisfacción y no buscando la aprobación de otros.
- Valorar cada paso que se da para alcanzar un reto, como un aprendizaje. La meta es algo ficticio, porque cuando uno está a punto de alcanzarla, ya está colocando otra nueva en el camino. Si

tu hijo solo disfruta coronando la meta, disfrutará poco y terminará convirtiendo cada proyecto en un deber y cada actividad en una tarea.

Y a ti, te animo como padre a:

- No valorarle por sus resultados, sino por su compromiso personal en el proceso.
- No identificarle con sus fracasos. No te asustes, ni te angusties cuando suspenda, cuando falle o cuando se equivoque. Es parte del proceso.
- Celebrar sus éxitos con él. Recuérdaselos de vez en cuando para que no los olvide.
- Admirarle cuando haga las cosas por su propia motivación y no sencillamente porque la mayoría de sus amigos o compañeros lo hagan así.
- Destacar y reconocer sus avances. Quizás todavía está lejos de la meta, pero trata de ver sus pequeños logros en el camino.
- Examinar tu manera de afrontar los retos y tratar de vivirlos también desde la excelencia.

CONVIÉRTELE EN SU MEJOR *COACH* MOTIVACIONAL

La motivación mueve montañas, logra lo imposible, muestra la inmensidad de la que es capaz el ser humano. La motivación vive en todos y cada uno de nuestros hijos, aunque a veces no la veamos. Solo está esperando que la despierten. La motivación tiene un vínculo fundamental con la autoestima, y ayudará a tu hijo a superarse en áreas donde su dificultad es mayor. No se trata tanto de que se esfuerce solo en lo que le gusta, sino que se enamore del propio esfuerzo y para ello, sin lugar a dudas, se precisa motivación. Ayudándole a estar motivado con aquello que más le cuesta, se irá produciendo lo que conocemos como «ley de la habituación», que consiste en que las respuestas emocionales de pereza, miedo o desmotivación decrecerán en él ya que se irá acostumbrando a realizar esas actividades como si desarrollara cierto umbral de tolerancia al esfuerzo, a base de aumentar la repetición. Como los bebés que se habitúan poco a poco a los sabores nuevos, así nuestros hijos pueden irse acostumbrando a ciertos niveles de esfuerzo.

Lo que motiva a tu hijo quizás no es lo que te gustaría a ti que le impulsara, pero lo cierto es que en aquello que le estimula encontrarás tú la prueba de su capacidad de esfuerzo, perseverancia y entrega, que parece no ser capaz de aplicar en otras áreas.

Andrés es un adolescente de diecisiete años. Le encantan los videojuegos y en ellos se involucra totalmente. No le sucede lo mismo con los estudios. Cuando nos vimos por primera vez, sus padres estaban preocupados por su desidia en las clases. Tras varias sesiones con Andrés, le invité a reconducir su motivación por los videojuegos para aplicarlo a sus estudios. Le pareció interesante y se mostró muy receptivo a intentarlo. Hablamos sobre los diferentes tipos de motivación y lo feliz que se sentía cuando lograba superar retos personales. Le pedí que durante una semana apuntase todo lo que aprendía jugando con la consola y me lo trajese a la semana siguiente. Lo comentaríamos juntos. Esto es lo que me vino a decir: «Me he dado cuenta de que, a base de jugar, he desarrollado mucha paciencia y una gran tolerancia a la frustración. Antes jugaba, y cuando me vencían en una batalla y perdía todo lo acumulado hasta aquel momento, teniendo que volver a empezar de cero, me frustraba tanto que me iba a mi habitación enfadado y me encerraba. Pasados unos minutos, me calmaba y me repetía: «¡Venga, una vez más! ¡A ver si lo consigues! Y volvía a intentarlo». Me quedé aún más sorprendida cuando me confesó la ingente dosis de creatividad que debía poner en marcha para encontrar alternativas estratégicas en sus videojuegos que le llevaran a la victoria. Pasamos varias semanas tratando de aplicar ese aprendizaje al área de los estudios. Paciencia cuando se sentía cansado, tolerancia a la frustración cuando le tocaba una asignatura difícil, creatividad para elaborar métodos de estudio más eficaces para él. Andrés aprobó todo. Se había convertido en su mejor *coach* personal. Cuando empezó a valorar la actividad lúdica como una posible fuente de aprendizaje, lo demás le resultó mucho más sencillo de alcanzar.

Identifica aquello que verdaderamente motiva a tu hijo. Reflexiona, dialoga con él para encontrarlo. A veces resulta que a tu hijo lo que le motiva es proyectar el bienestar que va a lograr en el momento en que alcance su objetivo. Otras veces simplemente el sentir que tiene buenos recursos personales para realizar esa actividad favoreciendo que persista en la tarea. En otros casos, la motivación será el realizar esa actividad compartiéndola con sus amigos siendo el estímulo social, sin duda, lo que le seduce. Todas y cada una de estas circunstancias pueden sernos de gran utilidad para ayudarle en su motivación. Identifica cuál opera en tu hijo y procura potenciarla en esa actividad o *hobbie* que desees afianzar. Se trata de encontrar la manera de incorporar esos motores motivacionales a otras áreas menos motivadoras.

Fomentar el diálogo interior es fundamental para un buen estado motivacional. En psicología, lo llamamos «autoinstrucciones», que constituyen el léxico que los niños usan desde que tienen adquirido el lenguaje que acompaña a la acción. Por ejemplo cuando una niña está dibujando en su cuarto y al asomarnos a su habitación la oímos susurrar: «Ahora por aquí, ahora despacito relleno esto…». Estos mensajes verbales, conforme crecemos, se irán interiorizando pero no desaparecen, aunque no serán audibles para el resto. Solo en situaciones de estrés vuelve a surgir el pensamiento en voz alta.

Recuerdo que cuando me saqué el carnet de conducir, en uno de mis primeros trayectos por la cuidad, quedé detenida en un atasco en una cuesta arriba a la salida de un túnel. Incapaz de arrancar sin que el coche se me fuese hacia atrás o se calara, recuperé mis autoinstrucciones en voz alta: «Vamos a ver, Bárbara, tranquila. Tú mete primera, suelta poco a poco el embrague y acelera. Así, muy bien...». Como ves, este diálogo interno, y a veces externo, ayuda a concentrarnos en lo que estamos haciendo y nos impulsa a la acción. Pues bien, tu hijo probablemente tiene un diálogo interno muy distinto si va a jugar un partido de fútbol o va a quedar con unos amigos, que si tiene que estudiar para un examen o tiene que enfrentar una situación que le atemoriza. En los dos primeros casos, el diálogo interno le motivará a la acción que hasta el momento le mantenía en un estado positivo y enérgico de ánimo. En los dos últimos, es posible que su diálogo interno sea negativo, desmotivador, llevándolo a un estado de desánimo y provocando la desidia y el abandono de la tarea o reto.

Las autoinstrucciones están muy contaminadas por la emoción. Si tu hijo está animado, su lenguaje interno también lo estará. Si, por el contrario, está desanimado o asustado, su lenguaje interior se contaminará. Entonces, ¿cómo puedes ayudarle?, ¿cómo mantener un diálogo interno motivador, a pesar de tener una emoción negativa de base? El siguiente ejercicio te puede resultar muy útil. Hazlo pensando en ti, en primer lugar, y así podrás sacarle el máximo partido para aplicarlo después en tu relación con tu hijo.

EJERCICIO DE ENTRENAMIENTO PERSONAL

Imagina por un momento que te conviertes en un gran entrenador de baloncesto. Tienes a tu cargo un equipo de jóvenes, que van a disputar una final importante. Tu objetivo va a ser encontrar el discurso más motivador que les lleve a la victoria. Puede que tengas que valerte de mensajes que les estimulen cuando vayan ganando, pero también que les sobrepongan si van perdiendo. El *coach* tiene un papel fundamental y debe conocer bien a cada miembro del equipo. De hecho, lo hemos visto en numerosas películas: *Coach Carter, McFarland, Invictus*, etc.

Roberto, de veinte años, tenía grandes dificultades para motivarse en su carrera universitaria. Vino un día a mi despacho de forma voluntaria, puesto que quería cambiar su forma de relacionarse con los estudios. Un amigo suyo había sido paciente mío y había logrado desarrollar un fuerte compromiso con su carrera. Roberto quería también aprender a lograrlo. Cuando analizamos los mensajes que él mismo se transmitía cada vez que debía ponerse a estudiar, nos dimos cuenta de cómo él mismo boicoteaba cualquier interés por la tarea. Se decía cosas como: «qué pereza», «cuándo va a acabar», «luego lo hago, todavía tengo tiempo», «no me apetece, esperaré a más tarde». Y así postergaba y retrasaba la acción sin llegar nunca a afrontarla. Él jugaba al fútbol y, además, disfrutaba enormemente cuando tenía que entrenar. Le pregunté por el impacto que creía que tendría en su rendimiento si un entrenador le hablase como él lo hacía consigo mismo cuando tenía que estudiar: «vaya rollo», «no sé ni cómo te apetece», «no te esfuerces», «déjalo ya, otro día sigues», «hoy estás cansado». Lógicamente, me contestó que esa alternativa era impensable, porque jamás una persona que hablase así a su equipo, podría ocupar un puesto de entrenador. Yo le contesté: «Pues sí. Tú eres tu entrenador, y estás al frente de tu propia vida. Tú te hablas de ese modo tan poco motivador, haciendo estragos en tu conducta». Quedó sorprendido por el planteamiento. Así que le animé a que escribiera los mensajes que le decía su verdadero entrenador para motivarle en el campo. Esto fue lo que escribió:

- Antes:
  — «Confío en tu capacidad para todos los partidos».
  — «Todos los partidos empiezan 0-0. Todos son una oportunidad».
  — «Confío en vuestra capacidad, en cualquier campo que juguéis».
  — «Vamos a jugar concentrados y con confianza hasta el pitido final».
  — «El estrés y la incomodidad son un reto para mí. Puedo dominarlos».

- Durante:
  — «Nadie puede superarme».

— «Los otros jugadores me ayudan».
— «Soy enérgico».
— «Creo en mi habilidad».

* Después:
  — «Lo he dado todo hasta el pitido final».
  — «Me siento orgulloso de cómo me he implicado».
  — «Me merezco un descanso».
  — «Siento que mi cuerpo está en forma».
  — «He superado un reto».

Cuando terminó el ejercicio y me lo entregó, le comenté: «Roberto, piensa en el impacto emocional que crees que estos mensajes pueden tener sobre ti y sobre el equipo. ¿Ayudan a la consecución de metas? ¿Es positivo el contenido? ¿Os ayuda a concentraros? ¿A dar lo mejor de ti?». La respuesta de Roberto fue categórica: «¡Totalmente!» Tras esta conversación, comparamos sus mensajes ante los estudios frente a los mensajes de su entrenador y valoramos las consecuencias de cada uno de ellos en su motivación. Finalmente, solo restaba adaptar el diálogo interno ante los estudios a uno más positivo y retador.

Recuerdo la ilusión con la que Roberto acogió el ejercicio y lo sorprendido que estaba por el descubrimiento. Además, él complementó la prueba de una forma muy interesante. Me comentó que, en un capítulo de la serie *Los Simpson*, había visto cómo su pasión por los bolos había servido para motivar a Hommer Simpson. En el capítulo, le animaban a ponerse las zapatillas de la bolera para realizar aquellas tareas que le resultaban más desagradables. Roberto me comentó que durante la siguiente semana iba a practicar con su diálogo interno y, además, se calzaría las botas de fútbol para estudiar. Fue el primer año que consiguió acudir a todas las clases de la universidad, la primera vez que se esforzaba por disfrutar del proceso de aprendizaje. El foco lo tenía puesto en el modo en que se enfrentaba a las tareas, lo que derivaba en una mejora ostensible de su rendimiento. Como era de esperar, su satisfacción aumentó, mejoró su compromiso con su carrera y su motivación por el estudio.

Ahora te animo a que reflexiones sobre el modo en que motivas a tu hijo a través de estos tres momentos:

1. Antes de que tenga que afrontar una tarea que le cuesta.
2. Durante la tarea.
3. Después de afrontarla.

Aplícalo a aquellas situaciones en las que sepas que actúa de forma inadecuada o que, simplemente, no está afrontando el reto. Reflexiona sobre el impacto emocional que esos mensajes causan en él. ¿Son útiles?, ¿están tan cuidados como los que describió Roberto más arriba?, ¿qué impacto causan en tu propio hijo?, ¿podrías mejorarlos?

He ayudado a muchos padres a convertirse en excelentes entrenadores motivacionales de sus hijos. Y gracias a ello, yo también he aprendido mucho sobre la forma de gestionar esas instrucciones. Pero la conclusión más significativa a la que he llegado en este tiempo es que la mayor parte de los padres motivan a sus hijos a través de la crítica. Confían demasiado en la reprobación como fuente de motivación. Nunca haríamos tal cosa si fuésemos verdaderos entrenadores. La crítica en la mayoría de las ocasiones alejará a tu hijo de ti, y lo anclará aún más en sus propias reacciones y convicciones. La crítica lleva implícito un lenguaje dañino, que distorsiona la realidad. Yo te animo a que sustituyas la censura por el estímulo.

Pablo, un chico de veinte años, me dijo una vez en la consulta: «Tú que tienes hijos, Bárbara, nunca dejes de creer en ellos y demuéstraselo, házselo ver, díselo, es lo único que a mí me ha salvado». Esas palabras se me quedaron grabadas. Me lo decía un joven que lo había pasado realmente mal en su adolescencia, su mirada me transmitía lo importante que el apoyo había sido para él. Qué buena receta.

En otras ocasiones, es el propio diálogo interno de tu hijo el que está plagado de crítica, de miedo o de desidia. Tampoco le impulsa a la acción y mucho menos a la motivación. Si es así, te animo a que pruebes a elaborar mensajes más certeros en esos tres momentos que te marco una vez más: antes, durante y después. Si pudieses hacerlo en colaboración con tu hijo, mejor que mejor. Anímale a que trate de utilizar parte de ese diálogo interno en la nueva actividad y recuerda que debes adaptar también el tuyo a la nueva situación, enriqueciéndola con lo que él mismo aporte. Si lo practicáis suficientemente, no tardarás en comprobar los resultados.

Solo él puede tomar las riendas

Me han suspendido, he aprobado.

Esta frase nos habla del estilo atribucional de un estudiante optimista, que claramente imputa un éxito, su aprobado, a sus cualidades personales: constancia, inteligencia, etc., y el fracaso, suspender, al profesor, a la mala suerte, o a cualquier otro factor totalmente ajeno a él. Su autoestima queda protegida por su manera de interpretar, pero no le otorga ningún poder para cambiar las cosas cuando el resultado no es el deseado. Puesto que parece hacer depender del profesor y no de él mismo la modificación del suspenso, ¿qué opciones tiene entonces? La actitud optimista no siempre es una ventaja. Puede llevar a algunos niños a no reconocer su parte de responsabilidad en los fracasos y, por tanto, a no verse obligados a reflexionar para descubrir lo que deben cambiar.

El estilo atribucional es la manera en la que un hijo adolescente responsabiliza a algo o a alguien de las cosas que le suceden, y nos deja al descubierto su autoestima.

Comencemos hablando del éxito, de sus éxitos.

Los éxitos le aportarán autoestima, pero solo si atribuye su existencia a variables personales intrínsecas. Si tu hijo alcanza el éxito, pero cree que ha sido fruto de la suerte, de la buena voluntad de otro, o incluso de las circunstancias, ese éxito no va a contribuir a que se sienta orgulloso y satisfecho. No va a beneficiar a su autoestima. Es el caso de un número cada vez mayor de padres que realizan las tareas escolares de sus hijos. La nota obtenida, por buena que sea, no la atribuirá a su habilidad, sino a tu habilidad e inteligencia como padre. El notable o sobresaliente no es motivo para que se sienta orgulloso, sino que tiene que ser fruto de su esfuerzo personal para que logre el efecto.

Recuerdo un caso, en el que el padre había logrado hablar con el director del centro sobre su hijo, con el fin de que le fueran aprobadas algunas asignaturas. Gracias a la intervención paterna, el niño aprobó. Tras una entrevista con el adolescente, este me dijo: «Nunca me sentí tan fracasado como ese día. No me lo merecía».

Tu hijo debe disfrutar el éxito cuando haya puesto en juego su esfuerzo, sus habilidades, su inteligencia. De lo contrario, si es otro quien lo logra por él, puede tener un efecto negativo y menoscabar su autoestima. Esta forma de actuar está muy vinculada al estilo educativo sobreprotector que veremos más adelante y que tanto dinamita la confianza de cualquier joven.

A veces observarás que él ha realizado el esfuerzo y ha tenido éxito. Sin embargo, no lo valora. Quizás por la idea equivocada de que el éxito significa ser el mejor, y si eres el segundo, ya no cuenta. O por el hábito perjudicial de la comparación con otros para medir sus resultados. Rescatemos el razonamiento ya expuesto: uno debería compararse en exclusiva con sus propias marcas, nunca con las de los demás. Esa es una buena receta para valorar el éxito.

Ya hemos hablado de la importancia de sus éxitos, recuérdaselos, sobre todo, si tu hijo tiende a fijarse más en los fallos, pero aún más importante es destacar las cualidades que le llevaron a alcanzar ese éxito. Es esa la clase de logros que contribuye a la autoestima.

Cuando hacemos un regalo, lo más apropiado es fijarnos en los gustos y el estilo de aquel a quien vamos a regalar. Pues lo mismo ocurre con los halagos. Destaca aquellas cualidades que están alineadas con sus valores, a las que más importancia da y más le gusten. Esto multiplicará el efecto beneficioso.

En aquellos casos en los que la autoestima del adolescente está muy dañada, mi estrategia consiste en animarle a que todos los días, antes de acostarse, recuerde cinco cosas que haya realizado aplicando una habilidad suya. Especialmente, hablamos de cosas que estén vinculadas a aquellos valores que él desea tener. Quizás tú como padre puedes ser esa voz interior que le recuerde y le subraye aquello que logra hacer a diario y que para él es importante.

Otra cosa muy distinta es la forma en la que afrontamos nuestros fracasos, nuestros errores, o de qué manera aceptamos nuestros puntos débiles.

Cuando miramos una foto, encontramos un momento congelado de nuestro pasado. Un momento que nos recuerda una experiencia, unas sensaciones, unas emociones. Tu hijo, a veces, hace esas fotos a nivel interno. Lo he visto muchas veces en los adolescentes con los que he trabajado. Congelan un momento, una sensación, una experiencia. Y cada vez que ese joven quiere saber quién es, mira la foto. Su foto mental. Pero, ¿qué sucede cuando esa foto representa un fracaso para él, una situación difícil que atravesó, en la que su imagen quedó dañada? Este recuerdo puede mermar su autoimagen. Definirse por un único momento, por el *click* de una foto, es peligroso, porque la imagen quedará distorsionada. Saca tu cámara, desempólvala, y hazle a tu hijo multitud de fotos, donde perciba otros colores, otras emociones, otras experiencias que poder integrar en la imagen que tiene de sí mismo. Porque todos los días nos surgen oportunidades para ser la versión de nosotros mismos que más nos gusta. Un día, una de esas fotos captará algo tan inspirador para él que le transformará, porque le aportará confianza y seguridad, y se sentirá feliz por ser quien es.

Los fracasos, los errores deben poder atribuirse también a nuestras propias habilidades, no solo a causas externas que no controlamos, por ejemplo, a otras personas o a adversas circunstancias. Se trata de mostrar a tu hijo la correlación entre sus actitudes y recursos y los resultados que obtiene. Si unos se modifican, los otros también lo harán. La actitud junto con el método son una alianza infalible.

Es bueno animar a nuestros hijos a que salgan de su zona de confort. De aquello que saben hacer y que ya dominan. Cuando abandonan ese dominio se encuentran en zona de crecimiento. Sus posibilidades de fracasar aumentan, pero también de aprender. Este tipo de situaciones le enriquece. Sin embargo, ¡ojo!, justo tras la zona de crecimiento se encuentra la zona de pánico. Si nos excedemos demasiado en las demandas o retos que marcamos a nuestros hijos, quizás les estemos forzando a exponerse a unas circunstancias en las que, más que aprender, podrían desembocar en fracaso y miedo. Dosificar sus retos provoca un mayor disfrute por el aprendizaje, y una mayor motivación para seguir creciendo.

Recuerda:

- Fomentar la autoestima de tu hijo es la mejor manera de garantizar un buen futuro para él. Invertir un tiempo adecuado en ayudarle a lograrlo es realmente importante.

- Identificar la autoestima actual de tu hijo a través de tres pilares: cómo se cuida, cómo se protege de lo que le hace daño y cómo él mismo premia sus logros.

- Promover un estilo de vida familiar que cultive una felicidad genuina basada en el «ser».

- Reconducir los rasgos exigentes de tu hijo por el camino hacia la excelencia.

- Escuchar tu diálogo interior y exterior como padre cuando quieres motivar a tu hijo. Convertirte en un entrenador motivacional con las claves trabajadas.

- Reconocer en el diálogo interior de tu hijo aquello que le motiva y usarlo como recurso en las áreas que le ofrezcan mayor dificultad.

- Atribuir sus éxitos y fracasos a causas internas, al menos en parte, a sus habilidades y competencias. Esto aumentará su percepción de control sobre los resultados. Enséñale que tiene la capacidad de cambiarlos si modifica su entrenamiento en las habilidades requeridas. Evitarás que asuma un rol de indefensión o abandono ante retos importantes para él.

Una película recomendada sería *Coach Carter,* del director Thomas Carter.

4
LA HUELLA QUE DEJAMOS EN NUESTROS HIJOS. ESTILOS EDUCATIVOS

No les evitéis a vuestros hijos las dificultades de la vida, enseñadles más bien a superarlas.

LOUIS PASTEUR

Nuestro estilo educativo no es fruto de una decisión madura y reflexiva. Nuestro estilo educativo probablemente esté más vinculado a la personalidad de cada uno y su singular manera de ser, que a una elección consciente. De ahí la dificultad para cambiarlo o transformarlo cuando es necesario. También es un reflejo de cómo nos han educado. A veces porque asumimos el mismo estilo educativo de nuestros padres, y otras porque elegimos exactamente el opuesto al que nuestros progenitores desarrollaron con nosotros. ¿Cuántas veces nos hemos sorprendido a nosotros mismos actuando de esa manera que habíamos jurado no reproducir jamás? Esto demuestra la importancia del aprendizaje por observación.

De un modo u otro, lo cierto es que cambiar de estilo educativo representa un esfuerzo consciente y nada desdeñable para aquel valiente padre que ha decidido mejorar en su manera de relacionarse con su hijo.

Recuerdo la llegada de mi primer hijo. Desde ese momento y hasta ahora, creo que no hay día que antes de dormir no reflexione sobre la manera de mejorar como madre. Es cierto que actualmente lo hago con menos angustia que al principio, donde los sentimientos de culpa por uno u otro fallo me remordían sin piedad. No, ahora ya no. En este momento me siento más libre para equivocarme y también para rectificar. Para reflexionar en lo que tengo que mejorar y en lo bueno que ya hago. Pero, sin duda, lo más eficaz para lograr un cambio ha sido siempre ceñirme a una sola cosa, a un único objetivo, y focalizar todas mis energías en él hasta conseguirlo. La culpa por sí misma, o la autocrítica, no producen cambio alguno. Y el primer paso para el cambio en nuestra actitud educativa es tomar conciencia de las opciones que tenemos a nuestro alcance, ver sus consecuencias y, por ende, tomar decisiones.

Cada estilo educativo tiene unas consecuencias muy concretas en nuestros hijos, y conocer las diferentes fórmulas que existen, así como las consecuencias que cada una puede conllevar en su vida emocional es parte fundamental de nuestra labor como padres. Es más, ningún padre suele representar de forma pura un estilo educativo.

Existen cuatro estilos fundamentales que espero te den las claves para saber hacia cuál de ellos estás más orientado.

EL ESTILO SOBREPROTECTOR: «POBRECITO, YO SOLO QUIERO QUE NO SUFRA»

Lo más bello en la relación con nuestros hijos es la complicidad que a ellos nos une, el tipo de vínculo que establecemos. Por eso, se refugian en nosotros cuando sufren, cuando la vida les hace daño, pero también ríen y disfrutan con las cosas bonitas de la vida. Y, tal y como decíamos anteriormente, la forma en que nosotros nos conducimos en la vida es un verdadero mapa para nuestros hijos.

A lo largo de su desarrollo, tu hijo tendrá que aprender a degustar ocho sabores y, bajo mi punto de vista, este es el principal objetivo que, como padres, hemos de perseguir.

La vida es como una heladería en la que existen ocho gustos. Cada vez que entras en el establecimiento, te ofrecen un sabor distinto, tanto si te agrada como si no. Y los ocho, más tarde o más temprano, tendrás que probarlos. Desde la persona más brillante hasta la menos inteligente, alto o bajo, gordo o delgado, guapo o feo, todos debemos aprender a lidiar con los ocho grandes sabores de la vida. Y la forma en que los afrontemos, determinará nuestra capacidad para sentirnos libres y felices o, por el contrario, asustados y afligidos. Y, ¿cuáles son esos ocho sabores?

Placer	Dolor
Ganancias	Pérdidas
Halagos	Rechazo/críticas
Éxito	Fracaso

Las personas muchas veces se empeñan en pensar que lo ideal es vivir solo en la primera columna. Actúan para no experimentar la segunda, y cuando les toca afrontarla, arman un enorme revuelo. Manifiestan angustia, miedo, estrés: ¡no debería estar viviendo esto! Porque la experiencia les resulta a todas luces negativa y destructiva. Los padres solemos, en muchas ocasiones, evitar a nuestros hijos las experiencias de la segunda columna, les hacemos ver con nuestros actos que nos asusta que vivan esas situaciones y a veces influimos, de forma directa, para evitar que experimenten esos momentos. Tal es el caso de los padres sobreprotectores.

Si eres un padre sobreprotector, con seguridad te asustan las experiencias que conllevan emociones difíciles en tu hijo. Es incluso probable que, en muchas ocasiones, hayas actuado protegiéndole de esas vivencias e impidiendo por tanto que tu hijo aprenda a gestionarlas. Puesto que la capacidad de gestión solo se adquiere con el entrenamiento, tu hijo seguirá toda su vida asustado ante un cincuenta por ciento de la vida. Pero déjame decirte algo. La vida es el cien por cien de experiencias, no podemos escoger. Yo no puedo decir «me voy a quedar solo con las prácticas de la primera columna». Estaríamos reduciendo nuestra zona de crecimiento personal. Ni más, ni menos.

Mientras que las situaciones de la primera columna nos reportan felicidad, dicha, bienestar, las experiencias de la segunda columna nos aportan crecimiento, aprendizaje, superación, reto, oportunidad de logro. ¿Qué pasaría si arrebatáramos a nuestros hijos la posibilidad de sentir esto último? Les haríamos unos adolescentes acongojados, inseguros y miedosos.

Cada grupo de experiencias tiene un impacto en la vida de tu hijo. A las correspondientes a la primera columna podríamos llamarlas las «experiencias pegamento». Las etiquetamos así porque se refieren a situaciones que desarrollan nuestro apego a la vida. Amamos la vida porque amamos el placer, lo maravilloso del éxito, la satisfacción que supone gustar a los demás, el poder disfrutar consiguiendo nuevos logros. Sin embargo, el otro cincuenta por ciento es vital para nosotros, y fundamental para nuestros hijos. Haz un esfuerzo de memoria y trata de recordar cuáles son las experiencias de tu vida que más te han ayudado a ser hoy quien eres. Probablemente esas experiencias tendrán más que ver con la segunda columna que con la primera. Por eso es tan importante permitir que tu hijo experimente en ambas columnas.

Solo tenemos que estar despiertos ante nuestras emociones para darnos cuenta de la cantidad de sabores que percibimos en un mismo día, pero esa pluralidad depende en gran medida de nosotros. A veces nos quedamos enganchados a un sabor, haciendo que pasen desapercibidos otros paladares positivos e interesantes que prácticamente ni nos percatamos de que existen.

En la psicología budista, a esta circunstancia se la denomina «saber ceder». En la India hay un curioso método para cazar monos. El cazador coge un coco y le abre un pequeño agujero del tamaño de la manita del mono y lo vacía por dentro. En su interior coloca un plátano y lo cuelga de un árbol. Al poco tiempo, cuando el monito trata de hacerse con el plátano, se da cuenta de que no puede sacar la mano a través del pequeño agujero. Pues bien, el mono es capaz de dejarse cazar antes de soltar el plátano. Ese mono no es muy diferente de nosotros ni de nuestros hijos. Nos dejaríamos cazar antes de soltar nuestro plátano. Y esto es lo que provoca que vivamos más tiempo en un solo sabor que en el resto de la gama. Muchos jóvenes, por ejemplo, tienen dificultad para darse por vencidos ante cualquier emoción de cierta intensidad.

Recuerdo a Laura, con dificultades para estudiar, alegre y feliz minutos antes de acometer la tarea mientras jugaba con su hermana. Soltar el plátano de la alegría y la diversión, para dar paso a la concentración y al esfuerzo suponía realmente un gran reto para ella. Iván, sin embargo, cuando suspendía un examen, daba muestras de incapacidad para encontrar placer o diversión en cualquier actividad que viniese después. Su run-run alargaba la experiencia de su fracaso. Alejandro encajaba mal las críticas, impidiéndose a sí mismo escuchar tras ellas los halagos o las alabanzas. Solo se quedaba con lo que más ruido ocasionaba en su cabeza. Quizás tú mismo puedas exponer un par de ejemplos más sobre tu propio hijo y la situación o experiencia que le deja secuestrado emocionalmente e invalidado para pasar a otra cosa.

La intranquilidad, el estrés con el que vivimos especialmente los momentos de la segunda columna, reflejan la falta de confianza que tenemos en nosotros mismos o en nuestros hijos para ser capaces de superar con éxito esa situación. Y entonces les sobreprotegemos. Solemos pasar más tiempo lamentándonos por lo ocurrido que eligiendo la manera en que lo queremos afrontar. Prueba a ver si puedes soltar antes tu plátano. Cuanto antes lo sueltes, antes podrás volver a conectar con el sabor del presente, quizás más amable que el anterior; o, simplemente, aceptar con conformismo los ocho sabores de la vida, tanto de la tuya como de la de tu hijo, sin montar un auténtico alboroto cuando toque vivirlos, cuando haya que experimentarlos.

Si tu hijo es alguna vez rechazado por sus iguales: vívelo con serenidad.

Si tu hijo fracasa en algún proyecto: vívelo con serenidad.

Si tu hijo siente dolor en el corazón al romper con su pareja: vívelo con serenidad

Si tu hijo pierde algo valioso: vívelo con serenidad.

Vívelo con serenidad, y vívelo a su lado. No podemos controlar todo lo que le pasa, no debemos siquiera intentarlo. Simplemente mantente a su lado, muéstrale tu cariño, tu interés. Ayúdale a que él mismo reflexione sobre la forma de afrontarlo.

Carlos tenía dieciocho años cuando viajó a África con una ONG. Y le sucedió algo que me pareció fascinante y un ejemplo perfecto para entender la verdadera sabiduría emocional. Al poco de llegar, en un campamento de Masai Mara, alguien le robó de su mochila los seiscientos euros que guardaba para su estancia. Al percatarse, fue al jefe de la tribu y se lo contó, quien buscó al responsable hasta encontrarlo.

Entonces le invitaron a hablar con un hombre mayor que se encontraba en un establecimiento del poblado. Carlos y el guía se dirigieron al lugar. Al llegar, encontraron a un anciano de aspecto algo estrafalario, bailando y cantando feliz. Se acercaron a él. Cuando Carlos le explicó quién era, el hombre automáticamente cambió de registro. Preocupado y compasivo, el anciano se interesó por el estado de Carlos y su rostro expresaba su malestar por lo sucedido, hasta que, finalmente, le explicó cómo había encontrado el dinero. Le tendió un fajo de billetes que el joven contó delante de aquel hombre singular. Cuando Carlos le aseguró que todo estaba correcto, el hombre, que apenas hacía unos minutos mostraba su preocupación con lágrimas en los ojos, prosiguió con sus danzas de nuevo. Aún sorprendido, Carlos le preguntó por la identidad del anciano. Todavía más chocante fue la respuesta: «El sabio del poblado». «¿El sabio?», preguntó Carlos. «Sí. Es conocido por poseer la emoción correcta, en el momento oportuno. Si tiene que ser feliz, lo es. Si tiene que estar triste, lo está. Pero no se aferra a ninguna emoción, simplemente siente lo que sucede en el momento presente, sin otras consideraciones ni apegos».

Si eres un progenitor sobreprotector, eres un padre cerrado a la experiencia. Especialmente a los cuatro sabores de la columna derecha. Ábrete a esas experiencias y deja que tu hijo también las sienta. Confía. Deja que impacte en él cada sabor, y permite que desarrolle las habilidades personales necesarias para que pueda salir de la situación, pero no gracias a ti, sino acompañado por ti, que es distinto. Tu papel no es el de salvador, es el de guía, de leal compañero, de sólido apoyo.

Vivir una situación difícil no provoca crecimiento en sí mismo. Solo sucede cuando tu hijo se ve en la tesitura de tener que adaptarse a esa experiencia nueva, de tener que sobreponerse a ella. Si tú le quitas ese papel, no le estarás ayudando, te estarás ayudando a ti para no sufrir, que es distinto.

Te animo a que pruebes lo siguiente. Enseña a tu hijo que no se trata de vivir para evitar las experiencias de la segunda columna, se trata de vivir libre, y cuando toque saborear las situaciones difíciles, que tocará tarde o temprano, estar habituado y preguntarse uno mismo: ¿cómo quiero vivir esto?, ¿qué tipo de persona quiero ser en esta experiencia?, ¿cómo me sentiría orgulloso? Es, por tanto, sustituir el «no quiero saborear esto» por «¿cómo quiero afrontarlo?» Esto da poder a la persona frente a la adversidad, frente a sus emociones. Le proporciona la capacidad de decidir y, lo que es más importante, le conecta con sus valores.

Te animo a que si te sientes sobreprotector, confíes un poco más en tu hijo. No le subestimes. Ayúdale a cambiar a través del ánimo y no de la crítica. Haz más y habla menos. Anímale a salir un poco, lentamente, de su zona de confort. Demuestra que confías en él. No le evites situaciones difíciles, solo muéstrale las herramientas para superarlas: ¿cómo quiero actuar cundo tengo miedo?, ¿cómo quiero luchar contra mi pereza? Motívale hacia el esfuerzo y conviértele en conquistador de nuevas tierras. Eso le ayudará a sentirse orgulloso y a crecer como persona. Buena receta.

Los hijos de padres con estilo educativo sobreprotector suelen ser adolescentes egoístas, con una gran falta de esfuerzo y constancia. Suelen tener dificultades significativas para encarar la frustración, que les pueden acabar llevando a la ira o a explosionar cuando reciben un «no» por respuesta, o se enfrentan a una dificultad.

En el cine infantil encontramos grandes ejemplos de padres sobreprotectores, cuyos hijos les ayudan a ver que ellos pueden ser mucho más fuertes y responsables de lo que sus propios padres creen: *Hotel Transilvania 2, Cómo entrenar a mi dragón* o *Enredados*. Grandes películas con edificantes moralejas.

EL ESTILO AUTORITARIO: «¿EMOCIONES? ¿Y QUÉ TIENE QUE VER ESO?»

Luis es un padre con claro estilo autoritario. No entiende la falta de responsabilidad de su hijo. Cuan-

118

do le hablé de desmotivación y baja autoestima me miró muy serio y me dijo: «¿Y qué tiene eso que ver con que no ayude en casa? No lo entiendo. Hacer la cama parece algo sencillo». El funcionamiento de las emociones, como viento a favor o viento en contra, que acompañan a nuestras actividades cotidianas es un mapa difícil de descifrar para muchos padres. Especialmente para aquellos que no han sido formados en la importancia de la motivación como gasolina para la acción, y en la autoestima como propulsor de la propia motivación.

Quizás tengas en tu mente a una persona cercana que represente con toda claridad un estilo educativo autoritario. Para identificarlos es tan sencillo como reconocer frases del tipo: «Porque lo digo yo y punto», «porque soy tu padre», «es lo que tienes que hacer y no hay más que hablar».

Si eres un padre autoritario sentirás que tu hijo no puede ni debe cuestionar ninguna de tus normas. Tendrás dificultades para controlar tu ira, y seguramente tenderás a pensar que los hijos deberían cumplir las reglas sin más, que tampoco es tan complicado. Tu principal herramienta educativa será el castigo y valorarás el éxito en tu papel como educador en función de la obediencia de tu hijo y el cumplimiento de sus responsabilidades, creyendo que con ello se garantiza la felicidad, satisfacción o autoestima del niño. Y no siempre es así.

Los padres autoritarios tienden a tener una relación con sus hijos basada en las responsabilidades y obligaciones del niño, y les cuesta un trabajo enorme invertir tiempo en sus hijos solo para jugar, reír o disfrutar. Prefieren que su hijo comparta esas actividades con otros niños. No obstante, el juego y el ocio con los padres es un aspecto fundamental en el crecimiento y desarrollo de nuestros hijos. De hecho, esto supone una parte fundamental de los deberes que toda familia debe tener hechos antes de llegar a la adolescencia.

La atención de los padres autoritarios está puesta en lo que ha logrado o no su hijo, en lo que le resulta difícil, y otorgará en algunos casos los medios materiales y logísticos necesarios para superar estas dificultades: profesor particular, academia, etc., pero no le aportará el apoyo emocional necesario para que el niño se sienta comprendido, querido y aceptado en sus propias dificultades.

Mientras que en el estilo sobreprotector existe una alta tendencia hacia las emociones de nuestro hijo y una escasa atención hacia las responsabilidades o tareas, en el estilo autoritario es exactamente lo contrario: alta orientación hacia las tareas y responsabilidades del niño y baja atención y cuidado en lo que respecta a sus emociones.

Los hijos con padres autoritarios suelen vivir sus emociones muy hacia dentro. Esto les imposibilita elaborar sus sentimientos y experiencias y, por tanto, les costará asimilarlas y digerirlas. En la adolescencia estos jóvenes suelen seguir algunos de los dos caminos siguientes: pueden convertirse en niños muy críticos consigo mismos, inseguros y con baja estima o, por el contrario, rebelarse contra la autoridad, provocando una adolescencia complicada que busca su verdadera identidad al margen de lo que el padre siempre le etiquetó como bueno o malo.

Buscan la autorreafirmación, y necesitan alejarse de la autoridad férrea para lograrlo.

El padre autoritario tiene un gran trabajo personal de inteligencia emocional. Muchas veces su dificultad para ser empático con las necesidades de su hijo tiene su origen en él mismo, siendo igualmente poco empático con sus propias emociones. Cuantas más normas se establecen en una casa, menos se entrenará esa familia para la cooperación, la negociación, la empatía y el trabajo en equipo.

Las emociones son viento a favor o viento en contra; ignorarlas no nos puede generar más que problemas en la consecución de nuestros objetivos, sean estos los que sean. Ignorar las emociones, aunque a veces sean causa de dolor, no es la solución. Las emociones nos movilizan para la acción y escucharlas y atenderlas nos facilita el entendimiento de nosotros mismos y de nuestros hijos.

Identifico perfectamente a los niños que tienen padres autoritarios nada más atravesar la puerta de mi despacho. Muchos de ellos están tensos. Sus cuerpos se muestran rígidos. Aparecen más serios e inseguros de lo habitual y les cuesta elaborar sus propias opiniones al margen de la figura de autoridad que esté presente, en este caso, la mía.

Esa tensión solo desaparecerá cuando, como padre, puedas otorgar el valor y la importancia que realmente supone reír en familia, escuchar a los hijos e interesarse por sus opiniones, pasar momentos de complicidad con ellos, conversar sobre emociones y sentimientos, con afecto, con muchos besos y abrazos...

Lo cierto es que si no has tratado a tu hijo de este modo durante la infancia, es posible que él no te vaya a permitir acercarte a él en la adolescencia.

Recuerdo a María, una adolescente de dieciséis años que me decía: «¿Ahora quiere hablar conmigo? Pero si no lo hemos hecho nunca antes. Jamás le interesaron mis asuntos ni mis amigos, y ahora, sin embargo, no para de decirme que no le cuento nada».

Si nunca lo hiciste antes, te resultará complicado empezar ahora, pero merecerá la pena aunque sea a partir de este momento. Poco a poco. Intimar, conversar. Ya será tarde para las guerras de cosquillas, pero nunca lo será para las expresiones de afecto y amor, para compartir tiempo a su lado e interesarse por lo que le importa o le preocupa. Amor incondicional, sin vinculación con las experiencias de éxito. Expresiones de enfado, pero sin rechazo. Muestras de afecto y amor, sin temor a que el niño lo vaya a utilizar para fines egoístas. No hay que ejercer una paternidad a la defensiva.

Hay una frase que dice: «Quiéreme cuando menos me lo merezca, que cuando más me lo merezco no lo necesito tanto». Y recuerda que el amor no está reñido con los límites. Los límites, las normas, educan, pero el amor y la expresión de afecto incondicional convierten a nuestros hijos en personas mucho más fuertes y maduras ante la adversidad.

EL ESTILO NEGLIGENTE: «AHORA NO TENGO TIEMPO»

En la sociedad de las prisas, de la competitividad y del éxito, cada vez hay menos espacio para la familia, para nuestros hijos, para la educación. De todos los ingredientes de los que hemos hablado, hay uno que es primordial para garantizar el éxito de la receta. Y ese no es sino dedicar tiempo. Tiempo para conversar, para compartir, para escuchar, para observar, para aburrirse juntos, para crear, para divertirse, para amar.

El estilo negligente es el estilo de ese padre que nunca tiene tiempo. Permanece ausente en la vida de su hijo. Ausencia física, ausencia emocional, o ambas. Ausencia debida, quizás, a necesidades económicas; o porque los padres están tan cansados que se sienten incapaces de afrontar las exigencias educativas que conlleva tener un hijo; o vacío presencial simplemente por alejamiento físico debido a un trabajo muy exigente o que se desarrolla lejos del país de residencia. Esta ausencia hará que el estilo educativo de la otra figura paterna tenga especial impacto en la educación del niño. Pero la ausencia del otro también marcará el desarrollo y el crecimiento del adolescente.

La ausencia de un padre provoca que el niño no vea en él una figura de referencia clara de autoridad. Como consecuencia, crecerá con una ausencia de normas y límites claros que le lleven a identificar de forma sencilla lo que se espera o no de él. Por este motivo, cuando llegan a la adolescencia, estos jóvenes pueden experimentar problemas de conducta: dificultad para acatar normas, para respetar las figuras de autoridad, para mostrar consideración por los otros... En la base, no obstante, encontramos a un adolescente con inseguridad y baja estima. Le falta un modelo de conducta de referencia, lo que va a provocar que lo busque por su propia cuenta, con el riesgo de que no sea el mejor modelo para un crecimiento sano y constructivo. Puede darse el caso de que un adolescente con este perfil busque un modelo de referencia en otros jóvenes que obtienen a corto plazo cosas que les satisfacen, sin contemplar en absoluto las consecuencias que podrían tener ese tipo de conductas en sus vidas.

Déjame que te ponga un ejemplo a partir de una familia con la que trabajé hace tiempo. Acudieron a mi despacho con su hijo Rafa, de quince años. Rafa llevaba dando tumbos de internado en internado desde los ocho años. Pasaba incluso algunos veranos en el colegio, a consecuencia del exigente trabajo de sus padres. Rafa, en el internado, había construido su propio universo, y tenía un grupo de amigos del que era el líder. Sus padres vinieron a la consulta, preocupados al enterarse por la dirección del centro de que el muchacho traficaba con marihuana. No daban crédito a lo que les relataban sus profesores. Su hijo era un camello, envuelto cada dos por tres en peleas con otros jóvenes y, para colmo, acumulaba dos intentos de fuga. Finalmente, sus padres decidieron sacarlo de allí, indignados porque consideraban al centro incapaz de «hacerse» con el niño. Me lo trajeron, a mitad de curso, *in extremis*, para intentar «evitar que Rafa se echara a perder». Lo cierto es que los padres no conocían en absoluto a su propio hijo. No le habían dedicado tiempo, ni atención, y ahora no sabían cómo conectar con él. Cuando hablé con Rafa percibí que era plenamente consciente de lo inadecuado de su conducta. Sabía lo que debía o no debía hacer, pero nadie le había inculcado valores. Rafa no tenía a nadie a quien fallar, a nadie a quien defraudar o hacer daño con su comportamiento. No tenía espejo en quien mirarse para superar las dificultades. Nadie en quien inspirarse. Encontró, con su comportamiento, el reconocimiento que no tenía con sus padres, gozando, sin embargo, de la atención de sus iguales.

El trabajo de terapia fue familiar. Rafa acudió regularmente a consulta, pero comprometí a los padres para que también acudieran a sesiones familiares. Fijamos un tiempo a compartir en familia. Finalmente, se recuperaron como unidad familiar, no sin antes renunciar los progenitores a algunos aspectos de su vida profesional que les bloqueaban el tiempo necesario para participar de la plena educación de su hijo. Entendieron que los tres se necesitaban. Precisaban entenderse, conocer las necesidades del otro, respetarlas y hacer lo posible por aliviarlas. Rafa sufrió un cambio asombroso. Su difícil experiencia le hizo madurar, aunque creo que, en el fondo, estaba deseoso por conseguirlo.

EL ESTILO DEMOCRÁTICO:
«AMAR A VECES ES EXIGIR Y A VECES CONCEDER»

El equilibrio parece muchas veces esa zanahoria imposible de alcanzar. Se convierte en la búsqueda más importante de nuestras vidas, y en el campo de la educación la cuestión cobra especial relevancia. El estilo democrático representa el equilibrio entre lo que le exiges a tu hijo y lo que le das: tiempo, cariño, escucha. Sin ese equilibrio, la educación se descompensa. Se trata de un tira y afloja perfecto. El secreto consiste en saber hasta dónde tirar y cuándo aflojar.

Si eres un padre con un estilo educativo democrático, entonces eres un padre que escucha, que invierte un tiempo considerable en observar a su hijo, de forma que cuando este llega a la adolescencia es un perfecto conocido. Lo haces sin sobreprotegerle, sin evitarle saborear cada dificultad de la vida, ayudándole a encontrar los recursos personales para superarlo. Permites que se caiga, que tome malas decisiones, le ofreces la oportunidad de aprender a través de estas experiencias. Conoces sus puntos fuertes y sus puntos débiles, y sabes en qué dirección tirar y hasta dónde hacerlo. Conocerle profundamente es algo que solo se puede lograr en el marco de la compenetración, de la complicidad, del tiempo compartido, lo que te ayudará a saber cuándo aflojar la exigencia para concederle un descanso.

Cuando un padre desconoce hasta dónde ha de exigir a su hijo y cuándo disminuir la presión, es que ha estado desconectado de sus emociones y sus objetivos. Esto nos hará consultar el mapa equivocado. Se trata de sacar de la zona de confort a nuestro hijo, y para ello tenemos que ver su mapa, no el nuestro. Para identificar cuándo sus sentimientos están revueltos y sus emociones al límite es preciso mirar su mapa y nunca el propio…, y entonces aflojar.

Para entender en qué consiste el estilo democrático, te puede ayudar la comparación de la relación padre e hijo con una cuenta bancaria. Para que la cuenta se mantenga sana y solvente es necesario ingresar dinero con cierta regularidad. Si lo único que hacemos es sacar de la cuenta, llegará un momento en que su saldo sea cero. Y la cuenta entrará en quiebra.

Desde el estilo democrático, los padres ingresan con regularidad en esa cuenta bancaria emocional. Y te preguntarás: ¿qué representa en este caso un ingreso? Podemos identificar como ingresos todo aquello que aporta unión, complicidad, disfrute de la mutua compañía, conversación enriquecedora. Aquello que significa convertirse en un apoyo real, un guía en su camino, una figura estable y leal. ¿Y las retiradas de efectivo? Retirar efectivo estaría vinculado con las peticiones, la delegación de responsabilidades, los límites, las normas. Cualquier cuenta bancaria tiene ambas funciones: ingresos y retiradas. Una no puede darse sin la otra, especialmente, si solo retiramos sin aportar nuevos fondos. Por eso, el equilibrio es fundamental para el éxito en el funcionamiento de la relación.

En ocasiones, pasamos temporadas buenas, solo ingresando, y eso nos permitirá superar la quiebra si venimos de una racha de mayor retirada, de superior exigencia. Llegar a la adolescencia con poco efectivo en la cuenta suele ser causa de problemas. La adolescencia es una época de máxima exigencia y responsabilidad, de mayor número de normas y peticiones, de búsqueda de un claro distanciamiento de los padres. Sin unos ahorros saneados, puede convertirse en un período difícil para la realización de ingresos. Pero debemos buscar nuevas alternativas para aumentar nuestros fondos. Por ello, te propongo la siguiente lista de acciones que te pueden reportar ingresos en tu cuenta bancaria y en la de tu hijo.

SETENTA Y UNA MANERAS DE ACERCARTE A TU HIJO ADOLESCENTE

1. Al llegar a casa da un beso y un abrazo a cada miembro de la familia.
2. Trata de interesarte por quiénes son los amigos de tus hijos.
3. Conoce su círculo y respeta a sus miembros.
4. Valora la privacidad de su cuarto y de sus cosas.
5. Háblale sobre tu trabajo, tus actividades, etc.
6. Pregúntale por cosas concretas que le hacen ilusión.
7. Escucha la música que le gusta.
8. Comparte noticias que le interesen, relacionadas con sus gustos y preferencias.
9. Ofrécele afecto y halaga su aspecto físico.
10. No cotillees su móvil.
11. Escucha más de lo que hables.
12. Comparte algún deporte o *hobbie*.
13. Pregúntale por su opinión en temas de mutuo interés.

14. Procura ensalzar sus puntos fuertes y habilidades.

15. Bríndale ayuda cuando se sienta cansado.

16. Abrázale cuatro veces al día.

17. No motives a través de la crítica.

18. Acostúmbrate a hablar en positivo de él con otras personas.

19. Deja que escuche cómo hablas en positivo de él con otras personas.

20. Mándale algún mensaje divertido a lo largo del día.

21. Crea vuestro grupo *whatshapp* familiar.

22. Comparte anécdotas con él, con lenguaje expresivo y pasional.

23. No le sueltes sermones cuando lo esté pasando mal, solo apóyale en sus sentimientos.

24. Identifica a sus líderes, quizás puedas motivarle con alguna cualidad que posean.

25. Antes de acostarte, dale un beso de buenas noches.

26. Vive coherente con lo que predicas.

27. Habla en positivo del trabajo y, sobre todo, del esfuerzo. Nada de: «Qué horror, mañana lunes».

28. Preparad viajes de forma conjunta. Ilusiónalo, implícalo, pregúntale.

29. Busca el lado divertido de las cosas, el lado bueno de todo.

30. No le trates como si fuera un bebé, háblale desde el respeto. Todo ello puede más de lo que crees.

31. No le alecciones estando alterado, cuanto más le grites, menos escuchará.

32. Pídele perdón cuando hayas herido sus sentimientos.

33. No le regales cosas que no se ha ganado, le estarás dañando.

34. No le regañes por todo. Se distanciará.

35. Ofrécele quince minutos diarios de atención positiva y de calidad solo para él.

36. Trata de cumplir tus promesas. Si no estás seguro de poder cumplirlas, es mejor no comprometerse.

37. Ten en cuenta sus gustos y deseos a la hora de tomar decisiones.

38. Resuelve sus dudas y sus preguntas.

39. Trata de compararle consigo mismo, nunca con hermanos u otros amigos.

40. Habla con serenidad de temas delicados, con una actitud abierta y de escucha activa.

41. No le eches en cara tus sacrificios, lo que haces lo haces porque tú así lo has decidido; no le culpabilices por ello.

42. Empatiza con su mundo.

43. Cuando esté invitado a una fiesta o evento especial, permite que cuide su imagen con esmero, con ropa más elegante o arreglada.

44. Pídele ayuda, explícale que le necesitas.

45. Resiste la tentación de solucionar sus problemas; en su lugar, empatiza.

46. Si pierdes la calma, dile que te retiras para tranquilizarte, y que lo seguiréis hablando cuando el momento sea más apropiado.

47. Al hacer la compra, procura escoger algunas comidas que le gusten.

48. Acostumbra a decirle cinco cosas positivas por cada crítica.

49. Durante la cena procura compartir un tiempo de calidad en familia.

50. Dile que le quieres al menos una vez al día.

51. Coloca en las estancias de la casa fotografías familiares, en las que sus miembros aparezcan sonrientes y unidos. Lleva una foto de él en tu cartera.

52. En fechas especiales, además de un regalo, trata de escribir siempre algo de tu puño y letra que lo acompañe.

53. Organiza alguna escapada especial, solos él y tú.

54. Ríete de sus bromas y de su personal humor.

55. Llámale desde la oficina para preguntarle cómo está, y cómo está llevando el día.

56. Muéstrale que dejas el móvil apagado o en silencio cuando hablas con él sobre temas íntimos o importantes.

57. Organiza planes comunes para los dos.

58. No busques ganar en las discusiones. Lo ideal es empatar.

59. Haz fotografías en los momentos trascendentales de su vida.

60. Demuéstrale que te encanta pasar tiempo a su lado.

61. Conoce los libros que le gusta leer y los temas que le interesan.

62. Respeta sus silencios cuando no quiera hablar.

63. No le repitas lo mismo cien veces al día. No es eficaz, más bien todo lo contrario.

64. Muéstrale que goza de tu confianza, no con palabras sino con hechos.

65. Pídele apoyo para solucionar aquellos problemas que acontecen en casa en vez de criticar su falta de responsabilidad.

66. Márcate un tiempo libre de críticas para tu hijo.

67. Cuando cometa un error, no le digas «te lo dije».

68. Háblale con pasión e ilusión de aquellas cosas que sabes que le pueden beneficiar.

69. No critiques su personalidad sino su conducta.

70. Destaca lo orgulloso que te sientes de aquellos aspectos en los que se ha superado.

71. Háblale de cuando era pequeño, destaca sus cualidades, sus anécdotas.

Recuerda:

- Conoce tu estilo educativo como padre, va a ser clave para valorar tus puntos fuertes y débiles.
- Acompaña a tu hijo en los ocho sabores de la vida.
- Confía en él y resístete a solucionarle los problemas.

- Identifica sus necesidades emocionales y muéstrate sensible a ellas, etiquetando sus sentimientos y aceptándolos, sean estos los que sean.
- Exígele hasta su zona de crecimiento, y ofrécele motivación y ánimo en el camino.
- Abrázale, transmítele afecto. Dile que le quieres.
- Dedícale tiempo de calidad.
- Conoce aquello que le interesa y muestra interés por ello.
- Mantén un saldo positivo en la cuenta bancaria emocional.
- Enriquece la relación con tu hijo practicando las setenta y una maneras de permanecer cerca de él en su etapa adolescente.

La película recomendada sería *LOL,* de la directora Lisa Azuelos.

5
CUANDO LA IRA SECUESTRA A TU HIJO

*La ira es el veneno que toma uno
esperando que muera el otro.*

WILLIAM SHAKESPEARE

Abordar el tema de la ira representa un gran reto
para mí. Quizás porque he dedicado gran parte de mi
carrera profesional a su estudio y representa un gran
desafío personal intentar resumir lo aprendido, de
forma que tú también lo puedas interiorizar y aplicar
con tu hijo. También, porque la ira es una de las emociones que más variedad de consecuencias problemáticas esconde. En materia de ira, las cosas no son nada
fáciles. Esto es lo primero que, como padres, debemos
tener muy claro.

Cuando la ira se convierte en un problema dentro de la familia, suele esconder otras connotaciones negativas que son más importantes que la propia expresión de la emoción. Y es aquí donde se produce uno de nuestros primeros errores. El ruido que ocasiona cuando es liberada capta nuestra atención en mayor medida que la posible causa que desencadenó la explosión, y lleva implícito que, en más ocasiones de las deseadas, nuestras acciones como padres se orienten a acallar la ira y no a resolver el verdadero problema que la provoca.

Son muchas las causas, y de muy dispar naturaleza, que se enmascaran tras una conducta agresiva y/o hostil en los adolescentes. Y, créeme, hasta que estas no estén resueltas, la ira seguirá manifestándose con periodicidad.

Manuel tenía una relación tormentosa con su hermana pequeña. Recuerdo que los padres estaban muy preocupados por ello. Conforme crecían, el vínculo de hermanos se iba deteriorando cada vez más. Solía ser Manuel quien le decía a su hermana las cosas más crueles y dolorosas: «te odio», «eres fea y gorda», «papá y mamá no te quieren», «no tienes amigas»... Tras una evaluación a fondo, descubrí que la hermana de Manuel, Sofía, estaba muy sobreprotegida por sus padres. Cuando estallaba el conflicto y discutían, muchas veces los padres llegaban a la pelea demasiado tarde, y casi siempre tendían a culpabilizar a Manuel, sin conocer realmente lo ocurrido. A Manuel, por ser el mayor, le exigían mucho más en relación a su rendimiento en el colegio, y este lo percibía. Esa sobreprotección a Sofía despertaba en Manuel unos celos desmedidos. Manuel sentía que sus padres no le trataban con el mismo afecto y respeto que a su hermana, y castigaba a Sofía por ello. Un día, en el despacho, Manuel me confesó que no se sentía querido en casa. Gracias a esa llave que el chico me proporcionó, sus padres entendieron la razón de su ira, primer paso para cambiar las cosas, consiguiendo que el clima del hogar mejorara de forma significativa. La ira de Manuel desapareció sin apenas hablar de ella, porque la causa intrínseca del sentimiento residía en los celos.

La agresividad de Clara, sin embargo, tenía otro origen muy distinto. Sus padres eran muy controladores, trataban a Clara como a una niña pequeña. No le conferían la libertad y la responsabilidad propias de una chica de dieciséis años. Su madre se relacionaba con ella a través de la crítica y la reprobación constantes, mientras que el padre completaba el cuadro con imposiciones y castigos. Llegó un momento en que la agresividad de Clara se convirtió en un verdadero problema. Cada vez explotaba antes y de manera más intensa. Cualquier comentario de su madre abría la espita de su cólera y cada castigo contundente del padre provocaba un enfrentamiento brutal. Yo sentía que Clara estaba al límite, era como una bomba a punto de estallar, vivía en una casa donde no había oxígeno para respirar y ella, por sí misma, no disponía de recursos para gestionar la presión. Los padres, con todo el amor del mundo, en lugar de ayudar a Clara, la incendiaban. Sin lugar a dudas, tenía entre manos un caso delicado, donde la hija era agresiva, el padre también, a través del modo en que establecía los castigos, y la madre acorralaba a su hija inundándola de críticas. No había un ápice de relación positiva, no quedaba espacio para el afecto, para el tiempo compartido. De nuevo la ira no era la raíz del problema, sino el efecto, consecuencia de una forma de comunicación familiar equivocada.

Así, podríamos seguir enumerando una gran cantidad de causas que se esconden tras la emoción de la ira: impulsividad, inseguridad, baja autoestima, dificultad para respetar las figuras de autoridad o las normas, baja tolerancia a la frustración, tristeza, vergüenza, miedo. Cada una de ellas puede esconderse tras la ira de tu hijo. Identificarla es primordial, porque nos mostrará el camino a seguir para ayudarle eficazmente. Si tu hijo expresa ira, pero en la base se oculta una gran timidez, el objetivo será trabajar la timidez, no castigar la ira. Si tu hijo es agresivo porque está realmente triste, es sobre la tristeza sobre la que hay que trabajar, no sobre la ira. Si es agresivo, pero verdaderamente lo que está es frustrado, es a la frustración a la que hay que atender. Y, así, sucesivamente: autoestima, paciencia, habilidades sociales… El problema es que la ira es tan escandalosa que nos impide ver realmente lo que se esconde tras ella.

Es curioso, pero en el caso de la ira, el método intuitivo que llevan a cabo los padres para buscar una solución es total y absolutamente contraproducente, porque nunca, nunca, el fuego se apagó con más fuego. El fuego se apaga con agua. Con buenas dosis de agua.

Te invito, en primer lugar, a reconocer la verdadera causa de la ira de tu hijo. Focaliza, entre todas las posibles causas que hemos enumerado anteriormente, aquella que pueda constituir la base de las conductas agresivas de tu hijo. Quizás te sea útil recordar cuándo empezó a manifestar esa ira, y qué cosas estaban sucediendo en su día a día. Tal vez recuerdes que, antes de la ira, había impulsividad, o timidez, o frustración, o una falta de habilidades sociales para relacionarse con otros. Identificarlo será la clave, porque es muy probable que después de esa experiencia, tu hijo comenzara a ocultarse tras la ira. Una vez detectada, es preciso convertir la causa en el foco de trabajo. De esta manera, la ira, al alcanzar el objetivo, desaparecerá por arte de magia.

En segundo lugar, y mientras ese proceso dura, no apagues el fuego con fuego. Si tu hijo solo tiene como herramienta personal un martillo, todas las dificultades las tratará como un clavo. Adquiere las nuevas herramientas que te ofrezco, y muéstraselas. Así tendrá a su alcance una mayor variedad de opciones con las que responder a las dificultades.

Emociones que dañan: la ira

La emoción es un fenómeno cerebral único. Diferente al pensamiento. Cada emoción tiene su propia neuroquímica y su propia respuesta fisiológica. Es un lenguaje exclusivo con el que nuestro cerebro se expresa. Nuestros hijos pueden hablar todos los idiomas que queramos, pero el fundamental, el más universal de todos, es el lenguaje de las emociones. A medida que tu hijo crece, su complejidad emocional también lo hará, hasta que alrededor de los ocho años posea un gran abanico de emociones que, como semillas, tendrán que ser sembradas y regadas para que crezcan y puedan cumplir con la función que cada una de ellas tiene asignada.

Las emociones son todas funcionales. Cada una de ellas, tal y como vimos en el capítulo 2, tiene un objetivo, un por qué y un para qué. La dificultad radica en cuándo, dónde y cómo sentirlas. Por ello, dependiendo del modo en que las utilicemos y vivamos, pueden o no hacernos daño.

Nuestros hijos adolescentes están en la fase de conocimiento y descubrimiento. Cognitiva y corporalmente están en una etapa más madura, pero emocionalmente son verdaderos aprendices todavía. Su desarrollo hormonal les convierte en verdaderas montañas rusas emocionales, maravillosas, sorprendentes, imprevisibles. Al igual que nunca se nos ocurriría pedirle a un niño que multiplique antes de sumar, ni que sume antes de conocer los números, no debemos exigir a nuestros hijos un afrontamiento adaptativo a las emociones antes de experimentar, probar y equivocarse con ellas.

Como padres, muchas veces sufrimos ante las equivocaciones, y pensamos que si nuestro hijo no cambia se estrellará, pero debemos recordar que lo mismo significaría ponerle a sumar a un niño de tres años y echarnos a temblar al comprobar que no es capaz de realizar la tarea, concluyendo *a priori* que no es inteligente, o que no será un buen estudiante. Los adolescentes deberían llevar un cartel colgado al cuello que dijera: «Estamos en construcción. Disculpen las molestias».

Las emociones son el combustible de nuestra actividad. Nos impulsan a la acción. Algunas, como la ira, pueden herir a tu hijo cuando:

- Se identifica con ella: soy ira, soy vergüenza, soy pereza...
- Se cree su discurso.
- Actúa bajo su mando.
- Ve el mundo a través de sus ojos.

Profundicemos para comprenderlo mejor.

UNA DESAGRADABLE VISITA

Tu hijo es ese ser humano maravilloso que te comerías a besos cuando le ves dormir. Ahí está, apacible, respirando tranquilamente, sus párpados, sus mofletes, su boca. Tu pequeño, que ya no es tan pequeño. Qué bello sigue siendo mientras duerme... Si continúas mirándolo es posible que te vengan a la memoria momentos de su infancia, tierno, divertido. Cuando te miraba y veía a la madre más guapa del mundo, o al padre más fuerte del universo. Luego, en cuanto se despierta, comienza a gruñir, porque el colacao está frío o porque llega tarde, o porque le ha salido un grano. Y ese pequeño, dulce y relajado niño, inspirador de recuerdos entrañables, comienza a transformarse en un ser irritante, egoísta, que no piensa que para ti también es lunes, y a quien le darías al botón de *off* si pudieras. Pues bien, aunque no te lo creas, tu hijo sigue siendo ese ser humano maravilloso, relajado y sonriente. Sigue necesitándote más de lo que crees. Está ahí mismo delante de ti, en pijama, tomando el desayuno, debajo de esa capa de mal humor, debajo de toda esa irritabilidad y de esa emocionalidad adolescente. Él sigue ahí. Pero una emoción le visitó y él todavía no se ha dado cuenta.

Las personas somos como muñecas rusas. El niño contiene dentro de sí al bebé, el adolescente incluye al niño y al bebé, y el adulto contiene en su interior al adolescente, que a su vez contiene al niño y al bebé. Y, así, hasta llegar a la vejez. Pero ninguno desaparece. Por ello, tu hijo no ha dejado de ser aquel niño dulce y maravilloso, sino que sus emociones a veces le secuestran y, especialmente, en la adolescencia cursan un verdadero máster de gestión emocional.

Hace poco mantuve una sesión terapéutica en mi despacho con un padre y una hija para trabajar la escucha activa. Son una familia numerosa, y he tenido la gran suerte de trabajar con todos durante un tiempo. Digo que he tenido la gran suerte, porque son una familia maravillosa, a la que aprecio profundamente. Pues bien, algo ocurrió ese día en mi despacho que me mostró la tremenda inteligencia emocional que muchos adolescentes comienzan a desarrollar durante esta etapa. Estábamos hablando de asuntos de la familia, en concreto de la conducta algo hostil del mayor de los hermanos. Fue entonces cuando la hija, de diecisiete años, comentó dirigiéndose a su padre: «Papá, es que tú te enfadas cuando mi hermano se molesta si alguien le critica. Pero a mí, lo que me da es una enorme pena. Me apena que le duelan tanto las críticas, que se vea incapaz de escuchar con tranquilidad, me gustaría que pudiera aceptar que no es perfecto, y me apena que no entienda que yo le quiero igual a pesar de sus defectos. No es rechazo lo que siento cuando se enfada conmigo, es pena». Sus ojos se llenaban de lágrimas y a duras penas acabó su comentario. Su padre y yo nos quedamos mirándola. ¡Guau! ¡Cuánta sabiduría encerraban esas palabras! Si los padres fuésemos capaces de ver más allá de la emoción, tal y como lo hizo esta adolescente con su hermano, con tan solo diecisiete años, un buen número de situaciones se resolverían. Ella empezaba a comprender que tras la ira de su hermano se escondía su inseguridad. Una persona, generalmente asustada, insegura, dolida, o avergonzada puede ocultarlo tras la ira. Total, cuando la ira aparece resta atención a todo lo demás. Ellos lo saben y prefieren dar rienda suelta a su ira antes que a su debilidad.

Cuando la emoción visita a tu hijo, puede suceder que no sepa diferenciarse de ella. De hecho, ¡puede que ni siquiera sepa que está siendo visitado! Esto siempre dificulta la tarea en el manejo de las emociones. Por ello, te recomiendo que en casa identifiquéis en voz alta lo que tu hijo está sintiendo, la emoción que experimenta, para que se percate de que una visita ha llegado: «vaya, veo que estás muy enfadado», «pareces muy frustrado», «lo que sientes es tristeza». No tengas miedo a decirle claramente lo que crees que siente: envidia, celos, miedo, ansiedad, vergüenza. Es bueno que tu hijo se acostumbre a escuchar una buena dosis de lenguaje emocional, que sin lugar a dudas será un gran aliado desde ese momento y para siempre. Me sigue sorprendiendo, en el transcurso de las sesiones, la falta de vocabulario emocional que existe para expresar con exactitud lo que uno siente. Y esto solo puede ser debido a una cosa: la falta de entrenamiento.

Desde hace muchos años, cuando en casa mis hijos se enfadan hasta el punto en que siento que no puedo hablar con ellos, les digo: «No quiero seguir hablando con la ira. Estoy aquí para hablar con mi hijo. Hijo, cuando vuelvas, avísame, que ahora la ira te ha tapado y no te oigo» Me levanto y me voy. Recuerdo que, cuando lo hacía y eran pequeños, me miraban como si su madre se hubiese vuelto loca. Pero creo que entendían perfectamente el concepto, porque siempre volvían al poco rato y me decían: «Mamá, que ya estoy aquí». Yo les recibía de mil amores: «Qué bien, que has vuelto, no sabes lo antipática que es la ira». Ellos reían.

Quizás, cuando van siendo mayores, simplemente es suficiente con dejarles claro que no queremos relacionarnos con su ira, que tú quieres relacionarte con él, y que, cuando él vuelva, escucharás sus peticiones, sus argumentos o sus necesidades, pero no antes. Y cumplirlo. Si te enciendes con él, estarán hablando la ira contra la ira. Yo quiero que hable el padre con el hijo, cuestión que ofrece siempre mejores resultados.

LAS GAFAS DE LA IRA Y OTRAS TRAMPAS DE SU MENTE

Cuando la ira aparece en la vida de tu hijo, es como si él se emborrachara, quedando bajo sus efectos, que tapan sus verdaderos valores y sus extraordinarias habilidades.

Tu hijo escuchará a pies juntillas todo lo que la emoción le dicte como si fuese su propio pensamiento, como si fuese él mismo, como si fuese realidad. ¿Cómo puedes ver al león si te ha devorado? Parece imposible, ¿verdad? Pues eso mismo les pasa a ellos.

Y es que todas las emociones nos transmiten un mensaje concreto, da igual quien lo sienta, la ira siempre tiene la misma cantinela: «es injusto», «no lo soporto», «me está tomando por tonto», «y tú, ¿de qué vas?». Y tu hijo, al oírlo, actúa en consecuencia, se rebela, se defiende, se protege.

Mientras permanezca secuestrado por la ira, cometerá tres equivocaciones, debido a su errónea percepción del mundo:

ERROR ATENCIONAL

Es el efecto de no percibir nada que no sea coherente con el enfado o la ira. Cualquier cosa que esté sucediendo en el presente y que sea agradable o positivo desaparecerá a los ojos de un chico enojado. Es más, si intentas bromear, o sacar el tema en ese momento, se cerrará en banda, y al ser el razonamiento disonante con su emoción, no querrá admitirlo. El truco en este caso es esperar. Espera a que se apague un poco el fuego para que, de forma sutil, puedas despertar su atención hacia las cosas agradables del presente. El objetivo no es que deje de estar enfadado, es que deje la puerta abierta a otras emociones que minimicen el impacto de la ira.

Los niños con mucha ira tienden a no realizar actividades que despierten emociones contrarias. Emociones

contrarias serían: la alegría, la compasión, la generosi-
dad, el compartir con otros, la relajación. Favorece que
tu hijo disponga de actividades que le evoquen esas
emociones. Son la «kriptonita» de la ira. Le estarás pro-
tegiendo, le estarás ayudando.

ERROR INTERPRETATIVO

Es la tendencia a etiquetar cualquier situación neutra o ambigua como un ataque o conducta hostil hacia
él. Cuando tu hijo está tenso, observarás cómo interpre-
ta cualquier nimiedad como un agravio o una ofensa.
Del mismo modo podrá suceder cuando esté cansando
porque no ha dormido lo suficiente, o cuando tiene
hambre. También en determinados contextos, o ante
determinados temas de conversación, que ya de por sí
son delicados para vosotros, o tienen un significado
negativo para el niño. Aunque ni siquiera se haya pro-
ducido una verdadera provocación, se percibe cómo el
niño se tensa. Te invito a que cambies de raíz la forma
en que afrontáis el tema. Si queremos resultados distintos, tenemos que cambiar el modo de afrontar los problemas. Por ejemplo:

- Si, como padres, habláis mucho pero no ponéis
  límites: pon límites, esta vez desde el comienzo. Con serenidad, con tranquilidad y con
  aplomo.

- Si ponéis límites sin hablar nunca con él: habla con él antes de ponerlos. Profundiza en sus sentimientos, alíate con él.
- Si siempre te relacionas desde la exigencia: trata de negociar con él, procura ser más flexible.

Cada caso, necesita un consejo. Pero todos los casos necesitan estos ingredientes básicos para que funcionen.

El error interpretativo también aparece relacionado con el estado fisiológico que aporta nuestro hijo a una conversación. ¿No ha dormido lo suficiente?, ¿tiene hambre?, ¿acaba de sucederle algo desagradable en su vida? Ellos, al igual que nosotros, son vulnerables a todos estos factores: el hambre, el sueño, el cansancio... Y elegir un mal momento para hablar sobre un tema importante puede dar al traste con la posibilidad de llegar a un acuerdo o solucionar un problema. Ten paciencia y asegúrate de que está en forma óptima para escucharte. Lo mismo a la inversa, no inicies una conversación delicada cuando acabas de llegar del trabajo, cuando estás estresado o si no lograste a dormir bien la noche anterior.

ERROR DE MEMORIA

El último de los errores pero también muy importante. Cuando tu hijo se enfada es como si hiciese una selección de todas las cualidades tuyas que aborrece. Recordará todos los momentos tensos o difíciles que ha pasado a tu lado. Y con el conjunto de todos esos recuerdos luchará contra ti. Se habrá olvidado de tu lado más amable, de lo que más le hace disfrutar de ti, de los recuerdos positivos y afectuosos. En cuanto pase el efecto de la emoción, desaparecerá la memoria selectiva y te volverá a recuperar de forma completa, con lo bueno y con lo malo.

Cuando nuestro hijo emita críticas bajo el efecto de la ira, atacará y buscará hacerte daño. A este tipo de reproches se les llama «críticas emocionales», y están pensadas solo para herir. No buscan aportar información relevante o una forma de entendimiento. Son solo un desahogo, una catarsis. Es la emoción hablando en estado puro. Tu hijo está ebrio de emoción y necesita pasar por la desintoxicación.

La forma de abordar estas críticas suele centrarse en extinguir la atención hacia ellas. No entres en la provocación, trata de ignorarla. Terminarás por contagiarte de la misma agresividad y os sumiréis en un círculo destructivo. Úsalas solo como información para saber que tu hijo no está en condiciones de hablar hasta que no se despida de la emoción y vuelva a ser él. De lo contrario, te hará daño y se hará daño.

EFECTO PIGMALIÓN: AHORA MÁS QUE NUNCA

De un incalculable poder, y al alcance de cualquier padre, se encuentra el efecto Pigmalión. Un aliado de enormes posibilidades, a quien no se conoce lo suficiente en materia educativa.

El nombre de «efecto Pigmalión» es en homenaje a un escultor de Chipre del mismo nombre, autor de la escultura de una mujer de tal belleza y perfección que acabó enamorándose de ella. Entonces, Pigmalión pidió a los dioses que le concedieran el deseo de convertirla en su mujer. Tras tratarla, amarla, y cuidarla como a su verdadera esposa, la escultura cobró vida y su deseo pudo hacerse realidad.

Esta historia ha inspirado a otras muy conocidas como la del cuento infantil de *Pinocho*, donde también se habla del efecto Pigmalión, y que trata de decirnos que nuestras expectativas sobre otras personas influyen de forma muy notable en el crecimiento y evolución de ellas mismas. Por este motivo, este fenómeno es muy importante en ámbitos educativos, así como en la propia dinámica familiar.

Pigmalión puede tener dos efectos:

Positivo, cuando una persona espera unos resultados positivos de alguien, está favoreciendo que así sea, porque mejora la autoestima de quien recibe esa confianza.

Negativo, cuando una persona espera unos resultados negativos respecto de alguien, también está favoreciendo que así sea, porque arremetiendo contra su autoestima, favorecerá la desconfianza y la negatividad.

¿Dónde te sitúas tú con respecto a tu hijo? Piénsalo un momento. ¿Qué imagen real tienes acerca de su rendimiento? Esa percepción la transmites a tu hijo a través de muchos mensajes, verbales y no verbales, y ello impactará en su crecimiento y confianza.

Cada vez que he conversado con un adolescente en mi consulta, he podido comprobar la eficacia del efecto Pigmalión. Y, créeme, funciona. Ahora tú puedes comenzar a utilizarlo. Solo tienes que seguir tres sencillas pautas.

Genera una expectativa realista y positiva sobre el rendimiento de tu hijo

Espera, dentro de sus posibilidades, el mejor de los resultados. Mónica, una joven de dieciséis años, me decía: «Mi madre es una pesada, se pasa toda la tarde antes de un examen diciéndome: "No vas a aprobar, Mónica, no has estudiado lo suficiente. No te lo sabes, no estudias correctamente...". ¿Cómo espera que me salga bien después de decirme todo eso? Me pone supernerviosa y, claro, luego no puedo dormir bien por la noche». Este caso no es una excepción. ¿Sabes cuántas veces he escuchado en mi despacho a padres que me dicen: «no sé si vas a conseguir algo de él» o «es tremendamente tozudo, no creo que vaya a cambiar, pero, bueno, por intentarlo...». Todos estos mensajes también se cuelan en nuestra forma de educar y provocan el efecto Pigmalión, pero en negativo.

Actúa como lo harías con esa persona de la que esperas esos resultados

Transmítele esa confianza, créelo de verdad, de lo contrario, no funcionará. Si solo cambias las palabras pero no tu sentir interior, no estarás cambiando nada. Tienes que creer. Recuerda que eres su espejo, lo que tú veas es lo que él ve. No le mires con pena, él lo nota y se victimiza. No le mires con rencor, se endurecerá. Mira dentro de él, encuentra su potencial, su esencia, su luz. Y házselo notar. Si no pudieses lograrlo, quizá debas pedir ayuda a un profesional, porque encontrarlo es fundamental para que él sepa hacia dónde dirigir su cambio. Es como una brújula.

Aliéntale en el camino

Anímale con la confianza de que será capaz de lograrlo. Destaca los progresos, los pequeños cambios. Resalta con negrita sus conductas positivas. Todo ello funcionará como un escudo protector contra la ira.

Existen numerosos estudios que puedes consultar acerca de este fenómeno, pero te recomiendo muy especialmente el documental llamado *Una clase dividida,* de la profesora Jane Elliott, donde podrás observar perfectamente el enorme impacto del efecto Pigmalión en los niños.

Podría mencionar mil ejemplos de cambios llamativos en mi consulta gracias a este efecto, pero voy a centrarme en el caso de Nacho, un chaval que vino a mi despacho por un problema de ira. Nacho tenía diecisiete años cuando comencé a trabajar con él. Sus padres tenían una gran desconfianza en todo lo que hacía o intentaba hacer. Probablemente, porque Nacho llevaba una historia de fracaso escolar y de problemas de relación con otros compañeros que provocó esa desconfianza. Los padres estaban agotados, preocupados y enfadados con él. Lo cierto es que con esas expectativas tan negativas, aunque la lógica las justifique, no se ha conseguido jamás cambiar a nadie. Jamás. Dar una nueva oportunidad sin rencor es quizás la parte más difícil de comenzar a practicar el efecto Pigmalión.

Traté a Nacho, desde el principio, con el respeto, cariño y confianza con el que me relaciono con todos los adolescentes que vienen a verme. Como a un joven con un potencial enorme, con unas posibilidades asombrosas. Siempre intento centrarme en las cualidades y fortalezas de todos los niños que me visitan. De esta manera, conecto con ellos y se comprometen conmigo, cambiando radicalmente su relación durante la terapia. Se abren a mí y me dan una oportunidad para demostrarles que les puedo ayudar. Quizás llevan mucho tiempo sin sentir que alguien confía en ellos, como yo lo hago. Sinceramente, es maravilloso cuando se crea ese clima.

Un día, a punto de finalizar una sesión, estábamos en el despacho Nacho, su madre y yo, y le pregunté al chico si podía pedirle un favor. Nacho me dijo: «¡Claro!». Le pregunté: «Este sábado ¿podrías cuidar a mis hijos pequeños mientras mi marido y yo nos vamos al cine? Te pagaría por horas. ¿Qué te parece?». Antes de que Nacho pudiese contestarme, su madre argumentó: «¿Estás loca?, ¿vas a dejar a tus hijos en manos de Nacho?». Él, que estaba presente, la escuchaba horrorizado. «Por supuesto, confío plenamente en él», afirmé. Sabía lo importante que era para Nacho que alguien confiara en su responsabilidad. El muchacho accedió emocionado. Yo era consciente de que no solo le decía a Nacho en consulta que yo creía en él, se lo estaba demostrando de verdad, estaba dejando en sus manos nada menos que a mis hijos. Los cuidó con afecto y esmero, fue muy responsable y profesional. Los niños estuvieron encantados, e incluso repetimos la experiencia en varias ocasiones. ¡Qué bien le vino a Nacho el efecto Pigmalión! ¡Qué buen ejemplo para mis hijos!

Prueba a confiar en tu hijo y demuéstrale que es digno de confianza. Es una excelente receta.

ANTÍDOTOS INFALIBLES

Todas las emociones tienen su antídoto, su «kriptonita» que las debilita, haciendo que pierdan su fuerza original y convirtiéndolas en emociones que facilitan la comunicación y la conexión con el otro. La ira, por tanto, también tiene su antídoto. Te voy a descubrir veintitrés formas de lograr que la ira pierda su fuerza cuando tu hijo se encuentra secuestrado por ella.

Puedes hacer uso de la lista que te facilito de varios modos: escogiendo cinco antídotos y comenzando a incorporarlos en tu día a día, cuando la ira visite a tu hijo, para luego ir añadiendo poco a poco nuevas estrategias hasta convertirlas en hábitos; o también, puedes elaborar un plan de acción con aquellos antídotos que crees que mejor pueden ayudarte y aplicarlos cuando las circunstancias lo demanden. Dentro de los antídotos, te vas a encontrar con recomendaciones para llevarlas a cabo en los momentos críticos, y otras que son para prevenir precisamente esos momentos.

Veintitrés antídotos contra la ira

1. Nunca, nunca hables con él cuando estés tan enfadado o más que él.
2. No le persigas o le abras la puerta de la habitación si él se encierra en ella para aislarse. Te está pidiendo tiempo para calmarse.
3. Mantén un tono de voz sereno, neutro y que manifieste verdadero interés por sus argumentos.
4. Si está muy enfadado, deja que sea él quien hable. No le interrumpas. Ya llegará tu momento. Tu escucha supone agua para su fuego.
5. Escúchale. Se escucha para comprender, no para responder.

6. Hazle preguntas que denoten tu verdadero interés por su opinión. Aunque no sea lo que quieres oír, investiga sobre la solidez de sus argumentos, sobre sus verdaderas razones, sus pensamientos.

7. Cuando escuches, no le juzgues, solo escucha.

8. Respeta sus opiniones. No le insultes o le humilles.

9. Trata de no centrarte en las llamadas críticas emocionales que él te hará.

10. Pon límites a través de la acción. No sustituyas tu dificultad para poner límites con críticas constantes.

11. Habla con él sobre su mundo, sus auténticas preocupaciones, sus ideales. Incluso aunque no te gusten. Habla con él con curiosidad, nunca como juez.

12. Cuando el tono de la conversación vaya escalando peldaños, pospón el intercambio de información para otro momento en que los dos estéis más calmados.

13. No acumules tensión mientras él habla o actúa. Puede llegar el momento en que explotes. Si sientes que te estás cargando de tensión, busca un modo de liberarte de forma útil y constructiva, antes de la explosión.

14. Aplica las setenta y una pautas vistas en el capítulo anterior para acercarte a tu hijo.

15. Piensa en el verdadero objetivo que quieres transmitir a tu hijo antes de comenzar a hablar.

16. Mientras escuches, cuida tu lenguaje no verbal: resoplar, negar, o subir la ceja es interrumpir la comunicación tanto como hablar.
17. Procura no saltar de tema en tema. Si empezáis hablando de A, mantente en A, no terminéis en Z.
18. Compartir algún deporte o ejercicio físico. Este tipo de actividades ayudan mucho a prevenir episodios de ira.
19. No personalices sus ataques. Recuerda tu papel de educador. Es una fantástica oportunidad para que le des ejemplo a tu hijo sobre cómo responder ante la ira.
20. Pregúntale por las alternativas que tiene para la solución del problema. Si no las tiene, anímale a que te presente en un día o dos un plan con las opciones que a él se le ocurran.
21. Hazle partícipe en la elaboración de la estrategia para llevar a cabo la alternativa elegida.
22. Refuerza las conductas positivas de afrontamiento que haya utilizado tu hijo para expresar su enfado.
23. No subestimes sus sentimientos.

Recuerda:

• La ira es una emoción compleja, que enmascara muchas veces las verdaderas dificultades y emociones de nuestros hijos: baja estima, frustración, tristeza, timidez...

- Procura que el ruido de la ira no te impida reconocer lo que se esconde tras ella. Será la clave para que esta desaparezca.
- No identifiques a tu hijo con la ira. Favorecerá el efecto contrario al deseado.
- Ayúdale a identificar sus emociones y ponle nombre. Le será útil para mejorar su conciencia y su vocabulario emocional.
- Identifica los tres sesgos que se producen durante sus enfados y realiza las recomendaciones descritas para ayudarle a superarlos.
- El efecto Pigmalión le ayudará a comprometerse en positivo contigo. Practícalo, tal y como te lo he descrito.
- Existen verdaderos antídotos para suavizar la ira como los veintitrés que te he propuesto. Pueden servirte como aliados, utilízalos.

La película recomendada es *El indomable Will Hunting,* del director Gus Van Sant.

6
ENAMORARSE DEL ESFUERZO

*Lo que más empodera a una persona no es enamorarse
de lo que le gusta hacer, sino enamorarse de en quién
se convierte ante su propio esfuerzo.*

EL ESFUERZO: COMPAÑERO DE VIAJE

Todos los adolescentes persiguen el éxito. Quieren
sentir que son eficaces, porque esto mejorará sin duda
su autoestima y su confianza. Se identifican con ídolos o
figuras que emiten una imagen de éxito que transmiten
a través de premios, dinero, fama... Incluso pueden
también medir el éxito entre sus amigos o personas cercanas, poniendo el foco en lo que tienen, han comprado

o han alcanzado. Pero ninguno envidia el esfuerzo que todo esto les ha supuesto a esas mismas personas.

No solo no envidian ese esfuerzo, sino que, en la mayoría de las ocasiones, nuestros hijos ni siquiera se preguntan por el sacrificio que hay detrás de toda esa fachada de éxito. No se plantean a cuántas cosas han tenido que renunciar esas personas para lograr lo que han alcanzado. Simplemente desean tener lo que otros tienen y, con ese planteamiento, es difícil que nuestros hijos intuyan el verdadero camino para llegar hasta él.

Los adolescentes con dificultades ante el esfuerzo suelen tener muy baja tolerancia a la frustración. Tienen unas expectativas irreales del tiempo que requiere llegar a dominar una tarea o mejorar una marca. Solo quieren llegar, el camino no parece interesarles. El problema es que no hay atajos que te trasladen a aquellos lugares que merecen la pena, y como ellos no parecen estar dispuestos a recorrer el camino difícil, nunca acaban por llegar a esos lugares tan fantásticos y especiales como son los que requieren esfuerzo.

Toda esta situación frustra enormemente al niño, que termina por creerse incapaz de lograr lo que otros consiguen, atribuyendo su dificultad a cualidades personales en lugar de al método empleado. «Es que soy tonto», «yo no puedo», «yo no soy como él»…, perpetuando el ciclo de desmotivación ante el esfuerzo que tanta preocupación genera en nosotros como padres.

Una vez llegados a este punto, hay dos conceptos claves a tener en cuenta. El primero tiene que ver con la importancia de resaltar el proceso en lugar de la meta. La segunda es hacerlo, pero dejando claro que es el método lo que está dificultando el logro, en lugar de sus cualidades personales o la ausencia de ellas.

Cuando, como psicóloga, escucho en innumerables ocasiones a padres decir: «Mi hijo es un vago», «¿eres tonto o qué? », «no lo entiendo, es que no das para más y punto», «mi hijo pasa de todo, es un flojo». A la vez, escucho a esos mismos niños decir: «Soy un vago», «soy tonto», «no doy para más», «soy un flojo». ¿De verdad creemos que esta forma de hablar a nuestros hijos les va a ayudar a espabilar y a encontrar la motivación que les falta para cambiar?, ¿o es más bien nuestro desahogo?

En todos mis años de profesión, no he encontrado a un niño vago ni tonto. Sin embargo, sí he visto niños desmotivados, enfadados, cansados, inseguros, ansiosos, que se comportan como vagos y tontos, porque parece ser que, si es así como los demás les ven y les tratan, de la misma manera se sienten y actúan. Creedme, padre y madre, vuestro hijo es capaz de mucho más si encuentra la manera de enamorarse del esfuerzo. El método para lograrlo es la cuestión clave, no su capacidad o incapacidad para lograrlo.

Existe una sola conclusión: estás o no estás suficientemente entrenado. Y para entrenarse tenemos que tener como compañero de viaje al esfuerzo.

El camino es lo importante

Lo hemos escuchado de muchas y variadas maneras: «Lo importante no es el destino, sino el viaje», «lo fundamental no es la meta, es el proceso», «lo importante es jugar, no ganar». Pero me atrevería a decir que en esta asignatura suspenden una parte importante de los padres.

Es cierto que vivimos en una sociedad donde todo parece indicar que el resultado es lo verdaderamente importante; hasta el propio sistema educativo lo incentiva. En cambio, el camino, el proceso o la estrategia carecen de importancia mientras se tenga éxito. No obstante, es un gran error trasladar este mensaje a nuestros hijos.

No todos los aprobados tienen el mismo valor, no todos los notables valen igual y no todos los suspensos significan lo mismo.

Es el proceso y el modo en que se ha llegado hasta ese resultado el que dicta el valor real que hay detrás de una meta. A mis hijos tiendo a premiarles cuando han hecho un gran esfuerzo en sus estudios. Ese premio no tiene que ser algo material, a veces simplemente se trata de ir juntos al cine, a un concierto o alargar un poco el tiempo con sus amigos. Sin embargo, lo que quizá lo hace diferente es que ese reconocimiento se lo otorgo el día antes del examen. Ellos saben que antes de examinarse hacemos juntos una valoración del esfuerzo realizado y, en función de ello, obtienen o no su recompensa. La nota vendrá después, pero me interesa menos, y así es como trato de inculcárselo. Recuerdo a Carlos, un adolescente que venía a mi consulta, quien, tras explicarle mi método, me decía: «Madre mía, así yo también habría estudiado». Carlos era uno de tantos niños que dejan todo para el último día, y gracias a que es muy inteligente consigue superar los cursos.

Conozco adolescentes que, sin apenas ningún esfuerzo, logran muy buenas calificaciones, y jóvenes que para conseguir aprobar ciertas asignaturas han tenido que esforzarse enormemente. Sin embargo, en el entorno familiar, el premio que han obtenido se ha vinculado siempre a su nota, sin tener en cuenta para nada su esfuerzo o su implicación. Así, ¿cómo queremos que entiendan el valor real del esfuerzo?

Si alimentamos la forma en que nuestros hijos han de relacionarse desde pequeños con el esfuerzo, al margen de los resultados, estaremos perfeccionando un método que, siendo honestos, aumentará significativamente la probabilidad de superar los desafíos que encontrarán en el camino. Si su capacidad de esfuerzo es todavía muy pequeña, cada avance, por minúsculo que sea, será motivo de alegría y de progreso en su camino hacia la satisfacción personal.

En casa, los esfuerzos de nuestros hijos se deben resaltar en las conversaciones familiares más allá de los éxitos logrados o las notas alcanzadas. Por ejemplo, podemos destacar los logros de otros personajes como los deportistas, comentando el esfuerzo que probablemente conlleva ese logro y el compromiso que implica ese éxito.

Si tu hijo habla de la suerte que ha tenido un amigo al lograr algo, quizás podamos hacer hincapié en que no es suerte, sino esfuerzo. Si él cree haberse esforzado pero no lo ha logrado, entonces hay que explicarle que tal vez el esfuerzo no haya sido suficiente. La próxima vez, perfeccionando el método, seguro que lo consigue. Si un familiar nos pregunta por sus notas, podremos responder en base a lo que se ha esforzado, más allá del número o la calificación obtenida. Y, así, sucesivamente.

Si un niño en la etapa primaria consigue buenas notas sin esforzarse en sus estudios, es más que probable que nos encontremos con un adolescente con dificultades en cursos superiores, cuando los contenidos sean más exigentes. Y no entenderá la razón por la que, de repente, comienza a suspender, ni tendrá entrenado el músculo del esfuerzo, lo que se traducirá en la inminente necesidad de ejercitarlo para conseguir los resultados deseados.

Para cultivar ese músculo, no solo disponemos del campo de los estudios. Cualquier área o actividad puede ayudarnos a entrenar el hábito del esfuerzo en nuestros hijos. De hecho, es muy interesante comenzar a cultivar ese esfuerzo en tareas vinculadas a su motivación, tareas que le agraden, que se le den bien, para que conozca cómo se siente su cuerpo cuando está en zona de esfuerzo. De esta manera, los chicos empiezan a percibir cómo el trabajo y la constancia llevan aparejado el reconocimiento de las personas que les rodean, les ayuda a lograr objetivos y a sentirse orgullosos de sí mismos.

Cuando María acudió a mi despacho, acababa de cumplir dieciséis años. Tiene una hermana, Ana, tres años mayor que ella. Su hermana es deportista y siempre ha disfrutado corriendo. María, sin embargo, dejó de salir con ella a hacer ejercicio porque, según me contaba, se cansaba muchísimo y no era capaz de seguir su ritmo. Estábamos trabajando la manera de incorporar el esfuerzo a su vida, para que descubriese que no era ninguna vaga, sino que simplemente se trataba de encontrar ese método que a ella le funcionase para lograr su objetivo. Su autoestima, fruto de esta dificultad, se estaba viendo perjudicada. Como la relación con su hermana era muy buena, la invité para que nos contara cómo se sentía cuando corría. Ana comenzó a explicarnos que, precisamente, en el momento en que comenzaba a sentir el cansancio era cuando se sentía más motivada. El notar su corazón acelerado, la tensión de sus piernas, la respiración agitada, todo ello le hacía sentirse viva, encontrándose justamente en la zona de trabajo que la llevaría a lograr su objetivo de estar en forma. Además, Ana confesaba que muchas veces reflexionaba sobre lo bien que se sentiría después de lograr su objetivo, y eso le hacía perseverar. Ella pensaba: «Venga, hazlo bien ahora y luego te sentirás genial». Esta es claramente la mejor radiografía del discurso de una persona que valora el esfuerzo. María abandonaba el esfuerzo en el punto justo en que Ana entendía que estaba logrando sus objetivos. Mismas sensaciones, opuestas interpretaciones. Esta es la cuestión.

Tenemos que ayudar a nuestros hijos a que comiencen a afanarse en lo que les gusta, para inculcarles el amor al esfuerzo. Una vez enamorados de él, no solo lo podrán aplicar a aquello que les interesa, sino a cualquier actividad que les reporte los beneficios del trabajo y el tesón.

Recuerdo una entrevista que escuché a Enhamed Enhamed, invidente y deportista de élite, nadador y campeón olímpico. Su ceguera representó un gran desafío, que supo utilizar en su favor para su crecimiento personal. Él decía que no se entrenaba para ganar las olimpiadas, con ese nivel tan exigente de esfuerzo y constancia. Él se entrenaba de aquella manera solo para convertirse en esa persona en la que uno se convierte cuando el esfuerzo forma parte de su vida. Y esa es la verdadera receta para vivir y disfrutar con el proceso. El camino te transforma, la meta es solo un fugaz momento de alegría.

DESCUBRIENDO EL PODER ARREBATADOR DEL ESFUERZO

Cuando hablo con mis adolescentes, les digo que el esfuerzo es como esa novia o novio feo, que al principio ni te fijas en él, ni te llama la atención, incluso te da un poco de pereza, pero que, si le das una oportunidad y lo conoces a fondo, es imposible que no te enganche.

A su lado te sientes fenomenal, te cuida, saca la mejor versión de ti mismo, te ayuda a cumplir tus sueños, tus metas, rara vez te decepciona y puedes confiar en él para cualquier nuevo reto o desafío. ¿Cómo no enamorarse?

Quizás la edad más complicada para engancharse al esfuerzo se encuentre entre los catorce y los diecisiete años, que coincide además con una etapa escolar dura. Las exigencias académicas son altas, pero los chicos aún no han decidido lo que van a estudiar en el futuro. Aun así, siempre hay caminos para lograr el enamoramiento, el caso es que descubran verdaderamente quién es el «señor esfuerzo» y todo lo que les puede aportar.

Y, ¿qué es el esfuerzo? No es concentración, dureza o sufrimiento. Es abandono de todo lo que no tenga que ver con lo que estoy haciendo. Es dejar cualquier otra cosa fuera de tu campo de acción y vivir plenamente la experiencia. Existen ocasiones en las que lo atractivo de la tarea reside en la propia actividad, que acaba por enganchar. Sucede, por ejemplo, con los videojuegos, el cine… Sin embargo, en otras ocasiones, es el adolescente quien tiene que acercarse a la propia tarea. Ha de empaparse de ella, involucrarse de forma plena, alejando de su foco atencional cualquier otra cosa que no tenga nada que ver con el objetivo marcado. Cuando logramos llegar a la meta, la actividad se vuelve más amable y agradable.

No hay nada catalogado como una tarea impuesta que nos aporte algo positivo, y a nuestros hijos les ocurre lo mismo: las tareas domésticas, los deberes, la cocina, la ducha... No podemos aprender, mejorar o superarnos en cualquier actividad que realicemos con esa actitud. Lo único que puede dar una verdadera oportunidad al esfuerzo es vivir plenamente la tarea, involucrarnos en ella, y hacerla con amor y atención.

Fíjate en el siguiente ejercicio. Cierra el puño de tu mano derecha. Y, después, ábrelo. Ahora, cierra de nuevo el puño y ábrelo todo lo lento que puedas. Tómate tu tiempo. Siente las sensaciones en tus dedos, en la palma, en tus uñas... ¿Cuál de las dos opciones nos aporta más percepciones? La primera la realizamos con el piloto automático, por eso no aporta nada. En la segunda, recibimos más. Sentimos más. Estamos más concentrados, más atentos. Lo mismo ocurre con el esfuerzo. Para comenzar a dominarlo tengo que alejar cualquier otra cosa que mi mente esté pensando, o dejar de desear estar en otro lugar, para aceptar que estoy donde estoy y que voy a vivir mi experiencia con plenitud.

Por este motivo es tan importante que el esfuerzo sea algo elegido por el adolescente. He visto innumerables casos donde el castigo, las broncas o la obligación de los padres han tratado de instaurar la cultura del esfuerzo en casa, generando en multitud de ocasiones el efecto contrario. Quizás, cuando nuestros hijos son pequeños, podemos obligarles a realizar las tareas, pero conforme crecen, esas estrategias pierden su poder, e incluso generan efectos contraproducentes.

Recuerdo a Guille, a Fernando, a Pablo o a Sara, entre otros, que no estudiaban porque les obligaban. Cuanto más les obligaban menos estudiaban y, así, sucesivamente. ¿Qué ironía verdad? Me consta que muchos de ellos deseaban acabar sus estudios, pero en sus casas se había abierto una batalla de poder que ellos libraban con la sartén por el mango, haciendo exactamente lo contrario de lo que sus padres decían.

Ayudarles a interiorizar el hábito del esfuerzo es mejor receta que obligarles a esforzarse, porque las consecuencias suelen ser más dañinas, y no solo en lo que respecta a los estudios sino, más importante aún, para la relación entre padres e hijos.

Aunque me sienta cansado, incómodo o aburrido, lo hago. Es, tal y como comentamos anteriormente, saber estar en todos los sabores de la vida, hasta en los menos cómodos. Esforzarse es parte de esa conquista. Es no huir cada vez que me siento abúlico o desganado. Se trata de aceptar esas sensaciones y perseverar en nuestros objetivos sin prestarles demasiada atención, entendiendo que son parte natural del proceso. Lo importante es que esas sensaciones no modifiquen el rumbo hacia la meta. Este entrenamiento debería llevarse a cabo desde que nuestros hijos son pequeños. Enseñarles a que tienen derecho a aburrirse, a estar incómodos, a estar cansados, sin que rápidamente vayamos a aliviar su incomodidad, impidiéndoles que se acostumbren a todos esos sinsabores. Por ejemplo, enseñarles a esperar a la hora de la comida sin picar de los platos aunque tengan hambre. Animarles a esforzarse en caminatas hasta llegar a la meta, descansando a ratitos, pero sin abandonar. Sacar la basura aunque esté lloviendo, o permitirles aburrirse en casa sin la obligación de tener que entretenerles siempre.

El esfuerzo nada tiene que ver con el «me apetece, no me apetece», planteamiento que dinamita cualquier esfuerzo.

DESHOJANDO LA MARGARITA:
«ME APETECE O NO ME APETECE»

Parece como si muchos niños, jóvenes, y también adultos, piensan que el «me apetece» o «no me apetece» son razones suficientes para abandonar una tarea o responsabilidad. Sin embargo, eso no es así. Cuando un adolescente actúa de este modo, lo que está haciendo es dar poder a las emociones. Son ellas las que mandan en ese niño, más allá de los objetivos o compromisos adquiridos por él. Esta forma de proceder suele además verse reflejada en otras áreas del comportamiento del niño.

Los niños que dan poder a sus emociones frente a sus objetivos o compromisos para decidir si hacen o no hacen algo, suelen ser niños que abandonan tareas, que se frustran rápidamente y que tienen baja autoestima.

Como podemos comprobar, reforzar las emociones conlleva todo un conjunto de dificultades para el niño. Las emociones se convierten en verdaderas tiranas que gobiernan su comportamiento. Por eso es tan importante animarle a que se guíe por objetivos y compromisos y no por emociones. Estas últimas son solo la salsa o el aliño, pero no la comida base.

Cuando algunos padres me preguntan qué hacer cuando sus hijos dicen «no me apetece», yo siempre les recomiendo que les digan: «Apetecerte o no apetecerte es un aliño para la actividad, pero nunca la razón para hacerla o dejar de hacerla». Y es cierto. No siempre haremos las cosas motivados o con ganas. A veces, las comenzamos a hacer por un compromiso adquirido y es después cuando aparece el placer. No siempre las ganas van por delante de la acción.

Esto mismo ocurre con otros problemas emocionales, por ejemplo, en casos de depresión, ansiedad o miedo. Las personas hacen o no hacen en función de si les apetece o no. En función de lo que les pide la emoción.

Todo esto no quiere decir que no debamos permitir nunca a nuestros hijos abandonar una actividad deportiva o un compromiso adquirido. Desde luego, saber abandonar a tiempo, cuando nos está perjudicando, es también una virtud. Se trataría, más bien, de conocer la verdadera razón por la que nuestro hijo toma la decisión de abandonar, es decir, asegurarnos de que no abandona por un sentimiento de incapacidad, sino porque realmente esa actividad no le está aportando nada a su crecimiento personal. Esta respuesta es clave.

A veces, abandonar algo permite al niño encontrar la alternativa que verdaderamente le motiva y le llena. Puede ser cambiar de deporte, de carrera universitaria o de pareja. Saber abandonar algo sin sentirse culpable, inferior o molesto, es un buen factor de protección para tener una buena salud psicológica. Igualmente, puede ser un buen indicador de autonomía e independencia.

La frecuencia de los abandonos y la rapidez de la renuncia serán claves para identificar, como padres, si estamos ante un problema de esfuerzo o una búsqueda constructiva de su bienestar y crecimiento personal. Observa cuánto esfuerzo ha invertido antes de abandonar un objetivo, si ha cambiado de método antes de decidir abandonar, e identifica las ganancias que obtiene con la renuncia. Si solo son remuneraciones a corto plazo, probablemente no es una buena decisión, si las ganancias son a medio o largo plazo, entonces puede que sí lo sea. Veámoslo más a fondo.

Existe un modo infalible de saber si las decisiones de tu hijo son las adecuadas y saludables para él. Se trata de valorar las consecuencias que tienen esas decisiones a corto y largo plazo. Observa el siguiente cuadro que lo resume:

Conductas	Consecuencias a corto plazo	Consecuencias a largo plazo
Saludables	Negativas	Positivas
Perjudiciales	Positivas	Negativas

Todas las conductas perjudiciales serán aquellas que, a corto plazo, hacen que tu hijo se sienta bien, y que, a medio o largo plazo, le acarrearán problemas o le harán sentirse mal. Por ejemplo:

- Dejar de hacer un deporte. A corto plazo se sentirá bien quedándose en casa relajado; a largo plazo se sentirá mal, poco en forma, aburrido y/o culpable.
- No estudiar para salir con amigos. A corto plazo sentirá diversión por el plan con amigos; a medio o largo plazo, se sentirá insatisfecho consigo mimo y/o suspenderá.

Seguro que puedes encontrar otros muchos ejemplos en la vida de tu hijo. Es tan sencillo como ver qué conductas te parecen perjudiciales y seguro que comprobarás que cumplen este esquema.

Sin embargo, todas las conductas saludables tienen el esquema contrario. Son aquellas en que, a corto plazo, requieren un esfuerzo para realizarlas, pero que a medio o largo plazo, nos hacen sentir fenomenal, contentos y/u orgullosos por haberlas realizado.

- Levantarse del sofá un sábado por la tarde para estudiar. A corto plazo le dará pereza y será duro; a largo plazo dará sus resultados le recompensarán y, sobre todo, se sentirá bien consigo mismo.
- Salir a correr para mantener en forma cuerpo y mente. Al principio le costará; pero al llegar a casa, sentirá la recompensa del esfuerzo.

No permitas que sus emociones manden sobre sus decisiones, procura que sean sus objetivos y compromisos los que lo hagan. Pero si tu hijo desea abandonar, aplica este método para saber si es buena idea apoyarle en tal decisión.

STOP: SE ACABÓ DEJAR TODO PARA EL FINAL

Pedro tiene veinte años. Cuando vino por primera vez a mi consulta conocía el esfuerzo, pero siempre se había relacionado con él en el fútbol, nunca había sabido incorporarlo a sus estudios. Quería descubrir cómo lograrlo, porque intuía que si alcanzaba su meta el grado de autoaceptación aumentaría. Y no estaba equivocado. Pedro solía dejar las cosas para el final, como tantos y tantos estudiantes inteligentes pero con poca capacidad de esfuerzo. Tras trabajar ambos en cambiar el método de estudio y emprender un camino que le llevara a enamorarse del esfuerzo, me sorprendió gratamente con una decisión. Había llegado la época de exámenes y, como siempre, se le había echado el tiempo encima. Pero esta vez algo cambió: se negó a estudiar a última hora. Fue algo así como un autocastigo por no haber cumplido con el plan de estudios. No quería verse de nuevo estudiando toda la noche para conformarse con un aprobado raspado cuando era consciente de que podía obtener mejor calificación. Me sentí realmente orgullosa de su decisión. A partir de ese día, se había quedado sin opciones, sí o sí tenía que empezar a cambiar su inconstancia en los estudios.

Esta táctica suele resultar de gran utilidad para los padres. Impedir que nuestros hijos estudien en el último momento les llevará al fracaso total, situación que ellos no desean, o les obligará a cambiar de método de estudio. Si te muestras constante en tu rechazo hacia los hábitos de estudio nefastos que solo consiguen que tu hijo vaya tirando académicamente sin cultivar el esfuerzo ni la perseverancia en el camino, a largo plazo la estrategia representará mejoras significativas.

EL VERDADERO COMPROMISO

El verdadero compromiso es una acción. No es pensamiento, no es palabra. Es hacer, es actuar. No es una promesa de futuro. Es algo observable y real.

Muchas veces nuestros hijos creen que si desean algo con vehemencia, entonces ya están comprometidos. Pero me temo que eso no es así. Uno no está verdaderamente comprometido con algo hasta que no realiza las acciones oportunas para alcanzarlo. El compromiso con el esfuerzo será real cuando incorpore conductas que muestren un auténtico cambio, no antes. Y es en ese transcurso, desde que uno dice, o piensa algo, hasta que lo hace, donde está la verdadera esencia del compromiso.

Una persona no puede adquirir un compromiso contra su voluntad. Es necesario que el deseo de alcanzar esa meta, o cumplir con esa promesa, nazca de su interior. De lo contrario, fracasará. Tiene que estar alineado con la persona que quiere ser, con el tipo de mujer u hombre que desea representar y, solo así, el compromiso nacerá como respuesta a sus verdaderos valores. De hecho, muchas veces nuestros hijos están comprometidos con personas o actividades que, si bien no son las que nosotros elegiríamos para ellos, desempeñan un papel importante en sus vidas. Y así es como descubren el verdadero valor y significado del compromiso.

Probablemente, en esas áreas donde existe el compromiso, con amigos, *hobbies*..., se cumplirán muchas de las premisas que voy a detallar a continuación, y que constituyen las claves para que el adolescente se comprometa en relación con sus valores y decisiones.

El primer ingrediente del verdadero compromiso, como ya hemos dicho, es la acción. Sin acción, no hay compromiso. El ritmo con que afronta sus responsabilidades es el segundo de los ingredientes. Por un lado, es importante que ese ritmo nunca sea cero. A veces tendremos más tiempo para llevarlo a cabo, a veces menos, pero nunca debe quedar reducido a cero. Anímale a que no pase un solo día en que no haya avanzado nada en sus compromisos, es la mejor manera de mantenerle conectado a ellos.

Pero tampoco es aconsejable un ritmo frenético o demasiado acelerado. Mi experiencia me dice que cuando el adolescente quiere actuar, de repente le entran unas prisas tremendas por cambiar y pasa de cero a cien en un segundo, pero debemos desconfiar de ese método. Sucede en el terreno de los estudios, sucede en el terreno de la alimentación y las dietas, en el área del deporte o el ejercicio. Tanto la exageración como la evasión no son planes de acción adecuados.

El compromiso conlleva un plan de ataque, pensado y reflexionado con unos tiempos y unos ritmos adecuados, en el que no es recomendable pasar un día sin hacer nada con respecto al plan, pero tampoco obsesionarnos, actuando con la serenidad necesaria para mantenerlo en el tiempo. Ayuda a tu hijo a equilibrar ese blanco/negro, todo/nada clave en su etapa adolescente, para que aprenda a comprometerse adecuadamente.

Por tanto, recuerda que el verdadero compromiso debe apoyarse en tres ingredientes:

1. Estar situado en el aquí y ahora. No es un plan de futuro.
2. Estar vinculado a sus valores y filosofía de vida.
3. Ser una acción, observable por todos. Con un ritmo óptimo.

Los compromisos futuros suelen conllevar emociones positivas, puesto que la acción todavía no tiene que realizarse aquí y ahora. La dificultad radica en que tu hijo tiene que ponerlo en marcha en tiempo presente, es decir, ha de aterrizarlo. Entonces, tendrá que llevar a cabo el esquema anteriormente comentado: esfuerzo a corto plazo, satisfacción y sensación de logro a medio/largo plazo, que tan beneficioso es para él. Ayúdale a anticiparse a algunas de las barreras que se encontrará cuando tenga que llevarlo a cabo, así como estrategias que puede poner en marcha para superarlas con éxito. Esto le hará sentirse más seguro y confiado.

Recuerda:

• El esfuerzo saca siempre la mejor versión de nuestros hijos.

- Si tu hijo da poder a sus emociones tendrá dificultades para esforzarse.
- Para esforzarse es importante aprender a salir fuera de la zona de confort.
- Proyectar las ganancias que reporta el esfuerzo se considera clave para enamorarse de él.
- Hay lugares a los que solo se puede llegar gracias al esfuerzo.
- Es el método y no el adolescente el que muchas veces boicotea sus esfuerzos. Encontrar la fórmula adecuada es clave.
- «No me apetece» nunca es una razón para abandonar o no emprender algo.
- Anima a tu hijo a guiarse en sus decisiones por objetivos y no por emociones.
- Fomenta en tu hijo un estilo saludable de toma de decisiones. Para ello puedes basarte en el modelo que te he descrito en el capítulo.
- Pon límites a la estrategia de dejarlo todo para el final. Si no lo haces, será difícil que tu hijo cambie.
- Practica con los tres ingredientes clave para conseguir un verdadero compromiso en su vida.

La película recomendada es *El circo de las mariposas,* del director Joshua Weigel.

7
FITNESS EMOCIONAL EN FAMILIA

El amor a la familia siempre
debe comenzar por el amor a uno mismo.

¿QUÉ ES EL *FITNESS* EMOCIONAL?

Estar en buena forma física nos da un bagaje muy
potente para superar momentos críticos. Cuando era
adolescente, un amigo mío tuvo un grave accidente de
moto que le mantuvo en coma durante un mes. Los
médicos aseguraron que se salvó gracias a su muscula-
tura. Afortunadamente, mi amigo acudía con regularidad al gimnasio y eso impidió que perdiese la vida

durante el accidente. Algo parecido sucede con el *fitness* emocional.

Practicar *fitness* emocional significa entrenar nuestras emociones, de forma que si llegan situaciones de crisis familiar, nuestro estado de forma nos ayude a superar con éxito esas dificultades. Para ello, en este capítulo te describo tres ejercicios que te ayudarán a lograrlo, aunque cada día observarás que hay muchas maneras de conseguir entrenar las emociones para que estas se mantengan sanas, felices y en plena forma.

Si practicas *fitness* emocional todos los días, no solo podrás mejorar la forma en que te relacionas con tu hijo, sino que también, y de manera natural, podrás optimizar la forma en la que te relacionas contigo mismo. Aceptando las propias debilidades e identificando las fortalezas. Hablando sobre ellas, sin traumas. Creyendo en ti y en tu capacidad para superar aquellos retos que te propongas, como padre, como esposo, como amigo, como persona. Insuflándote aliento en el camino hasta llegar a la meta. Levantándote cada vez que caes y aprendiendo de la experiencia. Buscando un espacio para curarte las heridas. Animándote a sonreír más a menudo, a pesar de las tormentas, a pesar de las dificultades. Apaciguando al crítico que llevas dentro, alimentando tu propio héroe interior. Ello inspirará a tu hijo más que nada en este mundo. Al fin y al cabo, por muy adolescente que sea, tú eres su principal referencia, su origen, donde todo empezó.

Ejercicio uno: encontrar tu propio rumbo

Todos deberíamos dedicar más tiempo a reflexionar sobre nuestra propia filosofía de vida. A decidir cómo queremos vivirla, al margen de la corriente que nos arrastra por inercia. Dejar de desear, actuar y decidir conforme a unos valores sociales, que muchas veces no corresponden con nuestra verdadera esencia.

Einstein afirmaba que «Todos somos genios. Pero si obligas a un pez a dedicar su vida a trepar por los árboles, solo tendrás un pez frustrado». A veces somos un poco ese pez. Actuamos como creemos que los demás esperan que actuemos, y nos relacionamos con nuestros hijos conforme lo que se espera de nosotros, en nuestro entorno, en nuestra sociedad.

Sé tú mismo, escucha a tu corazón, como padres tenemos más intuición de la que creemos, pero a veces hay tanto ruido alrededor que no podemos oírnos. Una vez escuché una frase que me encantó por lo certera en su sencillez: «El pensamiento grita, las emociones hablan y el espíritu susurra». Para escuchar a nuestra verdadera esencia, a nuestro espíritu, necesitamos silencio, necesitamos calma. Busca un lugar y un momento para encontrarla y escúchate. Escucharse en plena serenidad, desapegados de nuestras preocupaciones, es un verdadero ejercicio de conocimiento.

Recuerdo mi viaje de luna de miel. Mi marido y yo nos escapamos a un lugar recóndito de Bali. Allí realizamos muchas actividades divertidas y verdaderamente bellas, rodeados de una frondosa vegetación y unos paisajes espectaculares. Cerca del lugar donde nos alojábamos, había un río con una gran cantidad de peces. Y allí estábamos nosotros haciendo un descanso en la ruta, cuando le pregunté a nuestro guía la razón por la que los peces tendían a nadar todos juntos, repitiendo los movimientos con calculada exactitud. El guía respondió: «Es por la cercanía. Al estar tan juntos, todos actúan como si fuesen uno. Bastaría con que uno se distanciase de los demás apenas un metro, y empezaría a nadar con su propio rumbo y sus propios movimientos». Algo parecido nos ocurre a nosotros. Bastaría con ser capaces de distanciarnos un poco de lo que se espera de nosotros para encontrar nuestro propio movimiento. Elaboraríamos nuestra propia intuición y viviríamos coherentemente con quienes realmente queremos ser. A veces estamos tan apurados de tiempo, tan ocupados con el día a día, que nos cuesta saber si es nuestro propio movimiento el que realizamos en nuestra labor como padres o, por el contrario, es el compás que nos marcan los demás o la propia inercia.

EJERCICIO DOS: CULTIVAR LA ACTITUD

Cuantas veces habremos hablado con nuestros hijos sobre la importancia de la actitud. No vale con repetir una cosa de forma mecánica, hay que sentirla, incorporarla; de lo contrario perderá su esencia, y nunca nos enriquecerá. Lo mismo ocurre con la educación. Te invito a que mimes la actitud con la que educas a tu hijo, a que trates de experimentar los desafíos de la crianza con humildad. Como una verdadera oportunidad para crecer al lado de tu hijo. Nuestra vida es imperfecta, nuestros hijos son imperfectos y nosotros como padres también lo somos. El desafío consiste en aceptar que la búsqueda de un mayor equilibrio no nos librará nunca de vivir esa imperfección. Siempre estará a nuestro lado. Las cosas siempre pueden ser mejores. Por ello, el mejor aprendizaje es disfrutar del camino, aunque, a veces, todavía nos encontremos lejos de la meta. Lo cierto es que, hoy y ahora, podemos comenzar a disfrutar de las pequeñas cosas del día a día. Disfruta de las cosas bellas que tiene tu vida, de tus hijos tal y como son, de ti mismo como padre y como persona íntegra, para poder gozar de todo ello sin más ambición que no abandonar nunca el camino que nos marcan nuestros valores. Solo así seguiremos creciendo y mejorando. Pero no esperes a que todo sea perfecto o a solucionar este o aquel problema para comenzar a vivir con plenitud.

Y proponte no vivir en la queja constante. Queja interior, a través de pensamientos que solo te colocan en el punto de mira de aquello que te molesta, que te preocupa o que te estresa. O queja exterior, verbalizando la pesada carga que representan tus responsabilidades cotidianas. Sonríe. Enseña a tu hijo a amar la vida y a sonreír en las adversidades. Firma contigo mismo el compromiso de valorar la importancia del presente. La mejor manera de ocuparte del futuro de tu hijo es cuidando vuestro presente, siempre a su lado.

Cuando pregunté a Sara, una niña de once años, qué quería ser de mayor, me dijo: «Lo mismo que mi madre». Entonces, le pregunté por la ocupación de su madre. Y lo cierto es que Sara no sabía explicármelo con detalle. Desconocía realmente a lo que se dedicaba. Y le hice la pregunta obvia: «¿Por qué quieres entonces ser como tu madre, si ni siquiera sabes qué es lo que hace?». Sara, totalmente convencida, me dijo: «Porque la veo disfrutar con su trabajo. Vuelve a casa tardísimo, pero en lugar de mostrarse enfadada o agotada, siempre habla maravillas de las cosas que ha hecho cada día. Los domingos no le pasa como a papá, a ella le encanta empezar la semana. Sea lo que sea lo que haga, yo quiero hacer lo mismo». Los niños perciben el entusiasmo, sienten tus ganas. Y, casi sin darte cuenta, estás alimentando su motivación.

EJERCICIO TRES: CONVERTIRTE EN EL PADRE QUE A TI TE HUBIESE GUSTADO TENER

Hace tiempo que me marqué como objetivo ser aquella madre para mis hijos que a mí me hubiese gustado tener. Lo cierto es que tuve una madre maravillosa. Una madre que me inspiró profundamente y que, gracias a ella, hoy soy mejor persona. La primera vez que me hice esa pregunta —¿qué clase de madre te hubiese gustado tener?—, me inspiré en ella para responder, pero rápidamente me di cuenta de que no era la mejor estrategia. Pensar en ella me hacía sentir que la estaba juzgando, así que traté de enfrentarme a la pregunta libre de comparaciones. Simplemente, describiendo mi modelo de madre ideal. Probablemente habría características que coincidirían con mi propia madre, pero quizás, también, podrían surgir otras distintas. Y así fue.

Para llegar a una conclusión satisfactoria, me hice varias preguntas más: ¿cómo me gustaría que mi madre hubiese actuado cuando estaba triste?, ¿qué tipo de comunicación me hubiese gustado tener con ella?, ¿qué cosas me hubiese gustado compartir con ella?

Tardé un tiempo en responder. Pero la respuesta arrojó mucha luz en mi propio desafío educativo. Me ayudó a comparar esa descripción con mi propia imagen de madre. Además, pude identificar que muchas de mis decisiones educativas tenían como objetivo alejar un cierto miedo, satisfacer mi ego, o proteger a mis hijos, en lugar de hacer lo que creo que es más didáctico y constructivo para ellos.

Aunque a corto plazo sepa que es algo que no les va a satisfacer, mi labor como madre es enseñarles conductas prosociales, respetuosas con su futuro, ricas en crecimiento, saludables para su cuerpo, beneficiosas para el mundo. No se trata de preguntarse únicamente: ¿qué le puedo dar yo a mi hijo? También es muy importante interrogarse acerca de qué me gustaría a mí que mi hijo reportara a la sociedad, cómo será capaz de contribuir al mejor funcionamiento de este maravilloso y alocado mundo. La respuesta, bajo mi perspectiva, está en conseguir llegar a ser una buena persona; comprometido, compasivo, respetuoso y entusiasta. Descripción muy similar, curiosamente, a la que había realizado para la madre que me hubiese gustado tener.

Hace algún tiempo, planteé esta misma pregunta a varias personas cercanas, que tienen hijos. Te muestro tres respuestas significativas, por el interés que despertaron en mí:

Carlota, cuarenta años: «Mi padre ideal debería de profesarme un amor incondicional, siendo el punto de partida de este amor su respeto y empatía hacia mí. Esta empatía le permitiría comprenderme como hija y como ser humano, con independencia de ser su hija, fomentando mi libertad de pensamiento e independencia al mismo tiempo. Habría de afrontar la vida con entusiasmo, valentía y sentido del humor».

Virginia, treinta y ocho años: «Mi modelo sería una madre paciente. Con gran capacidad de escucha. Que, sin juzgarme, me ayudara a ver otras opciones en mi vida. Otorgándome libertad para equivocarme y para descubrir por mí misma lo que quiero. Que me enseñara el valor del esfuerzo. Divertida y con gran sentido del humor. Responsable. Que creyera en mí. Serena y apasionada».

Luis, cuarenta y cuatro años: «Mi prototipo de padre debería ser un hombre observador, cariñoso, responsable y paciente. Que me hiciera reír. Que se diera cuenta de las cualidades de su hijo, pero también de sus defectos, reaccionando en consecuencia. Que pasara tiempo de calidad con sus hijos. Que se involucrara en lo que les interesa. Que nos inculcara valores y principios a todos los niveles: personal, social y profesional».

¿Y tú?, ¿qué respuesta darías? Hazte esa pregunta sin caer en la comparación con quien fue tu padre o tu madre. Responde libre y sinceramente. Puedes escribir aquí tu definición:

Ahora te invito a reflexionar: ¿cuánto se acerca esa descripción a lo que realmente haces con tu hijo? Trata de describir conductas concretas que te lleven a ser ese padre que has imaginado y trata de aplicarlas en tu día a día.

Cuando leí las respuestas de aquellos padres, hubo varios conceptos que me resultaron muy interesantes. El primero es que muchas de las cualidades que resaltaban de ese padre o madre ideal no estaban incluidas en sus propias pautas educativas, al igual que en su momento me ocurrió a mí, cuando llevé a cabo mi descripción. No podía resistirme a preguntar: ¿por qué?, ¿no se supone que, si se trata de lo que más valoramos en un padre o madre, deberíamos referirnos a aquello que realmente aplicamos con respecto a nuestros hijos? La segunda cuestión confirma la enorme coincidencia de muchas de ellas. Existen cualidades que como adultos valoramos especialmente de un padre o de una madre: responsabilidad, la concesión de libertad, la entrega, el afecto, la empatía, la paciencia, el compartir juegos con los hijos. Si tan importantes son para nosotros, es seguro que también lo serán para nuestros hijos.

Parece fácil, pero todos sabemos, como padres, que no lo es en absoluto.

Hacernos las preguntas apropiadas es complejo, educar sin miedo o con conciencia plena parece serlo todavía más, y dedicarle el tiempo necesario para aplicarlo a nuestra rutina, con el estrés que muchas veces acarreamos a nuestras espaldas, nos llevará toda una vida. Pero el éxito solo vive en el hecho de intentarlo cada día.

La película recomendada es *Solo ellos,* del director Scott Hicks.

AGRADECIMIENTOS

Quiero agradecer este libro a todos los niños, adolescentes y padres que han formado parte de mi vida profesional. Gracias por vuestra complicidad, vuestra sinceridad y vuestra confianza. También quiero dar las gracias a todos mis profesores y maestros. Mi agradecimiento sincero por vuestra sabiduría, por inspirarme cada día, por contaminarme de vuestro entusiasmo por el mundo de las emociones y por el arte de vivir, cuando más lo necesitaba.

Y a todos los que, de un modo u otro, han hecho posible que este libro esté hoy en tus manos.

Gracias de corazón.